FEDRO

PLATÓN

Fedro

AGEBE

Platón
    Fedro – 1a ed. – Buenos Aires : Agebe, 2006.
    128 p. ; 20x14 cm.

    Traducido por: Luis Gil

    ISBN 987–1165–47–1

    1. Filosofía Griega Antigua. I. Gil, Luis, trad. II.
Título
    CDD 184

© Agebe
    Av. San Juan 3337
    Tel.: 4932–4335
    Buenos Aires, Argentina

Diseño interior: Nicolás Fagioli
Diseño de tapa: Agustín Blanco

ISBN 987–1165–47–1

FEDRO

SÓCRATES.– Amigo Fedro, ¿adónde vas ahora, y de dónde vienes?

FEDRO.– De estar con Lisias, Sócrates, el hijo de Céfalo[1], y voy a dar un paseo fuera de la muralla; porque allí pasé mucho tiempo sentado desde el amanecer. Y haciendo caso a nuestro común amigo Acúmeno[2], hago los paseos por los caminos, ya que, según afirma, son menos fatigosos que los que se dan en los lugares de costumbre[3]   *b*

SÓCRATES.– Pues lo dice con razón, compañero. Pero, a lo que parece, Lisias estaba en la ciudad.

FEDRO.– Sí, con Epícrates[4], en esa casa que está cerca del templo de Zeus Olímpico, la de Mórico.

SÓCRATES.– ¿Y en qué empleasteis el tiempo? Evidentemente Lisias os agasajó con sus discursos, ¿no?

FEDRO.– Te enterarás si tienes tiempo de escucharme paseando.

SÓCRATES.– Por supuesto. ¿Crees que yo no estimaría Como algo "por encima incluso de urgente quehacer", según dice Píndaro[5], el escuchar en qué os entretuvisteis tú y Lisias?

c FEDRO.– Adelante, entonces.

SÓCRATES.– Puedes hablar.

FEDRO.– Por cierto, Sócrates, que lo que vas a oír es algo que te concierne, pues el tema sobre el que departimos estaba relacionado, no sé de qué manera, con el amor. En efecto, ha representado Lisias en un escrito a un bello mancebo requerido de amores, pero no por un enamorado; que en esto mismo reside la sutileza de su composición, puesto que dice que se ha de otorgar el favor a quien no está enamorado con preferencia al que lo está[6].

SÓCRATES.– ¡Qué magnanimidad la suya! Ojalá escribiera que se debe ceder al pobre mejor que al rico, al viejo mejor que al joven y a cuantos reúnen las condiciones que hay en mí y en la mayoría de nosotros. Sus discursos entonces, a la vez que elegantes, serían

d de utilidad pública. Pero tan dominado estoy por el d deseo de escucharte, que, aunque prolongues tu paseo hasta Mégara[7] y llegando, según la prescripción de Heródico[8], hasta la muralla, vuelvas sobre tus pasos, no hay miedo de que me quede a tu zaga.

FEDRO.– ¿Cómo dices, amigo Sócrates? ¿Crees que

228 lo que con mucho tiempo y calma compuso Lisias, el más hábil escritor de los de ahora, lo voy a repetir de memoria yo, que no soy un profesional, de un modo digno de él? Lejos estoy de ello. Y eso que quisiera poderlo hacer más que el entrar en posesión de una gran

fortuna.

SÓCRATES.– ¡Ay, Fedro!, si yo no conozco a Fedro, me he olvidado también de mí mismo. Pero no ocurre ninguna de las dos cosas. Bien sé que esa persona, puesta a oír el discurso de Lisias, no lo escuchó tan sólo una vez, sino que, volviendo muchas veces a lo dicho, le invitó a repetirlo, y aquél se dejó persuadir gustoso. Mas *b* ni siquiera le bastó con esto, que, tomando consigo el manuscrito, terminó por inspeccionar lo que más deseaba. Y ocupado en este menester desde el alba, desfallecido de estar sentado, salió a pasear, sabiéndose de memoria, según creo yo, ¡por el perro!, el discurso, si no era uno excesivamente largo. Encaminóse entonces por fuera de la muralla para repasarlo, y habiéndose encontrado con uno que está loco por oír discursos, al verlo, se alegró porque iba a tener quien le acompañase en sus transportes de Coribante,[9] y lo invitó a seguir su camino. Pero, cuando el amante de discursos *c* le pidió que lo pronunciara, hacía melindres como si no estuviera deseando declamarlo, pero al final habría de pronunciarlo a la fuerza incluso, si su auditorio no se mostraba dispuesto a escucharlo. Así que tú, Fedro, pide a ese hombre que haga ya a partir de este momento lo que tal vez hará de todas formas.

FEDRO.– Para mí, en verdad, es con mucho lo mejor el declamarlo tal y como pueda, puesto que me da la impresión de que no me soltarás por nada del mundo, hasta que lo pronuncie de una manera o de otra.

SÓCRATES.– Muy verdadera es la impresión que te doy.

d   FEDRO.– Entonces así lo haré. Pero, para decir verdad antes que nada, Sócrates, no me aprendí de memoria las palabras. No obstante, el sentido de casi la totalidad de los pasajes, en los que expresó las diferencias entre la condición del enamorado y la del no–enamorado, lo expondré en sus puntos capitales y por orden, cuestión por cuestión, empezando desde el principio.

SÓCRATES.– No sin mostrar primero, amor mío, qué es lo que tienes en tu diestra debajo del manto, pues conjeturo que es el mismísimo discurso. Y si esto es así, hazte a la idea en lo que a mí respecta de que, si bien

e   yo te estimo mucho, estando de hecho presente Lisias, no estoy dispuesto en absoluto a prestarme a que ensayes a mi costa. Ea, pues, muéstralo.

FEDRO– Para. Me has arrancado, Sócrates, la esperanza que tenía de ejercitarme contigo. Pero, ¿dónde quieres que nos sentemos a leerlo?

229   SÓCRATES.– Desviándonos por aquí, marchemos a lo largo del Iliso[10]. Luego nos sentaremos con tranquilidad donde nos parezca bien.

FEDRO.– Oportunamente, al parecer, da la casualidad de que estoy descalzo[11], pues tú, por descontado, lo estás siempre. Así que, lo más cómodo para nosotros es caminar por el arroyuelo remojándonos los pies, lo que tampoco será desagradable, especialmente en esta época del año y a esta hora del día.

SÓCRATES– Guía, pues, y mira a la vez dónde nos vamos a sentar.

FEDRO.– ¿Ves aquel altísimo plátano?[12]

SÓCRATES.– Sí.

FEDRO.– Allí hay sombra, una ligera brisa, y césped *b* para sentarnos, o, si queremos, recostarnos.

SÓCRATES.– Puedes avanzar.

FEDRO.– Dime, Sócrates, ¿no es éste el lugar de donde se dice que Bóreas[13] arrebató del Iliso a Oritiya?

SÓCRATES.– Así se dice, en efecto.

FEDRO.– Luego, ¿no fue de aquí? El riachuelo, al menos, se muestra encantador, límpido, transparente, y muy propio para que a sus orillas jugaran las doncellas.

SÓCRATES.– No fue de aquí, sino de más abajo, cosa *c* de unos dos o tres estadios, por donde cruzamos hacia el santuario de Agras[14]. Incluso hay allí en alguna parte un altar consagrado a Bóreas.

FEDRO.– No me había fijado en absoluto. Pero dime, por Zeus, Sócrates, ¿estás convencido tú de que ese mito es verdad?

SÓCRATES.– Si lo pusiera en duda, como los sabios, no me saldría de lo corriente[15]. Diría en ese caso, dándomelas de instruido, que el soplo del Bóreas la despeñó de las rocas vecinas mientras jugaba con Farmacía[16], y que por haber muerto de esa manera se dijo que había sido raptada por el Bóreas. O bien colocaría la acción en *d* el Areópago[17], pues también circula la versión de que fue allí y no aquí, de donde fue arrebatada. Pero yo, Fedro, aunque por una parte considero sugestivas tales explicaciones, las estimo por otra como obra de un hombre tan sutil y laborioso, como desafortunado. Y no por otro motivo, sino por el de que, sucesivamente, le será menester rectificar la figura de los Hipocentauros, y a continuación la de la Quimera, viniendo después, como un verdadero torrente, una muchedumbre de Gorgonas y Pegasos semejantes y multitudes de otros seres prodigiosos, sin contar con los portentos *e* relativos a ciertas naturalezas objeto de leyendas. Y si alguno, por no creer en ellas, trata de reducirlas una por una a los límites de lo verosímil, haciendo uso de cierta rudimentaria sabiduría, se verá necesitado para ello de mucho tiempo. Y yo no tengo tiempo en absoluto para tales lucubraciones. El motivo, amigo mío, es el que no puedo aún conocerme a mí mismo, según prescribe la inscripción de Delfos[18]. Y me parece ridículo, ignorando todavía eso, considerar lo que a mí no *230* me atañe. De ahí que, mandando a paseo esas cuestiones, y dando fe a lo que se cree de ellas, no ponga mi atención, como decía hace un momento, en ellas, sino en mí mismo, con el fin de descubrir si por ventura soy una fiera con más repliegues y tufos[19] que Tifón, o bien un animal más manso y más sencillo, partícipe por naturaleza de un algo divino y sin tufos. Pero, ¡oh, compañero!, dicho sea de paso, ¿no era ése el árbol hacia el cual me conducías?

b   FEDRO.– En efecto, es éste.

SÓCRATES.– ¡Por Hera!, bello retiro. Pues este plátano es muy corpulento y elevado, y sumamente hermosa la altura y la sombra de ese sauzgatillo[20], que además, como está en el apogeo de su florecimiento, puede dejar en extremo impregnado el lugar de su fragancia. A su vez, la fuente que mana debajo del plátano es placentera a más no poder, y su agua muy fría, según se puede comprobar por el pie. Consagrada a alguna ninfa o al Aqueloo[21] parece estar a juzgar por esas estatuillas e imágenes. Y fíjate también en el aire tan puro del *c* lugar, ¡qué agradable, cuan sumamente delicioso es, y con qué sonoridad estival contesta al coro de las cigarras! Pero lo más exquisito de todo es el césped, porque crece en suave pendiente que basta para reclinar la cabeza y estar maravillosamente. De modo, amigo Fedro, que has sido un excelente guía de forasteros.

FEDRO.– Te revelas, hombre admirable, como un ser extrañísimo. Pues pareces ni más ni menos un forastero que se deja guiar, como tú dices, y no uno del lugar. Tan es así que ni te ausentas de la ciudad para *d* ir al extranjero, ni sales en absoluto, creo yo, fuera del muro[22].

SÓCRATES.– Perdóname, buen amigo. Soy amante de aprender. Los campos y los árboles no quieren enseñarme nada, y sí los hombres de la ciudad. Pero tú ciertamente pareces haber encontrado un remedio para hacerme salir. Porque, de la misma manera que los que agitan delante de las bestias hambrientas una rama o un fruto las hacen, andar, tú, tendiendo ante mí discursos en un volumen, está visto que me harás dar la vuelta a toda el Ática y a cualquier otro lugar que *e* te venga en gana. Pero de momento, llegado aquí, me parece que yo me voy a acostar. Tú escoge la postura en la que creas que leerás con mayor comodidad, y lee.

FEDRO.– Escucha, pues: "Mi situación la conoces, y que estimo de nuestra conveniencia el que esto se realice, lo has oído también. Pero no por ello creo justo el 231 no conseguir mi demanda, por el hecho precisamente de no estar enamorado de ti. Pues los enamorados, se arrepienten de los beneficios que hacen, tan pronto como cesan en su deseo. En cambio, los que no lo están no tienen ocasión en que les toque arrepentirse. Como no obran bajo el imperio de su pasión, sino de grado, pueden decidir mejor que nadie sobre sus asuntos personales, y hacen sus beneficios con arreglo a sus posibilidades. Es más, los enamorados consideran aquellos asuntos propios que administraron mal por culpa del amor juntamente con los beneficios que b hicieron, y añadiendo a esto los sinsabores que tuvieron, creen que han devuelto hace tiempo el debido agradecimiento a sus amados. Por el contrario, los no enamorados no pueden alegar descuido de sus intereses privados por esa causa, ni tener en cuenta las penas pasadas, ni imputarles a los mancebos las diferencias con sus allegados. De suerte que, eliminados tantos males, no les queda otra posibilidad que la de hacer con buena voluntad lo que crean que, una vez cumpli- c do, les hará gratos a los por ellos requeridos. Pero es más, si la razón de que valga la pena estimar en mucho a los enamorados es su afirmación de que quieren más que a nadie a los que son objeto de amor, y están dispuestos de palabra y obra a enemistarse con los demás por hacerse gratos a sus amados, fácil es percatarse, si dicen verdad, de que estimarán en más que a éstos a todos de cuantos se enamoren después; y está claro que, si a sus últimos amados les parece bien, harán mal incluso a los primeros. Y ciertamente, ¿cómo puede ser natural que se ceda en semejante asunto a quien está aquejado de una desgracia tal, que nadie, teniendo experiencia de ella, trataría siquiera de evitar? Pues los *d* mismos enamorados reconocen que están más locos que cuerdos, y que saben que no están en su sano juicio, pero que no pueden dominarse. De modo que, una vez recobrada su sensatez, ¿cómo podrían considerar que están bien las cosas sobre las que toman una decisión en ese estado? Además, si fuera entre los enamorados donde escogieras al mejor, tu elección se haría entre unos pocos. En cambio, si fuera entre los restantes donde eligieras al más conveniente para ti, lo sería entre muchos. De modo que, al estar entre muchos, es mayor tu esperanza de alcanzar al hombre *e* digno de tu amistad.

Pero si temes la costumbre establecida, es decir, el que al enterarse la gente caiga sobre ti el oprobio, lo natural es que los enamorados, por creer que son objeto de *232* los celos de los demás, como los demás lo son de los suyos, se exalten hablando, y por vanagloriarse muestren ante todos que no han pasado penas en vano; en tanto que quienes no lo están, al saber dominarse, escojan lo

15

mejor en lugar de la gloria ante los hombres. Pero aún hay algo más, necesariamente serán muchos quienes descubran a los enamorados y los vean acompañar a sus amados y dedicarse a eso, de suerte que, cuando se *b* les vea conversar mutuamente, creerán entonces que su trato con el amado es debido a que se ha cumplido ya, o está a punto de cumplirse, su deseo. En cambio, a los que no están enamorados ni siquiera se les ocurrirá el inculparlos por su trato, puesto que saben que es algo normal que se converse con alguien, bien sea por amistad, bien por cualquier otro motivo de agrado. Y si te ha entrado miedo al considerar que es difícil que la amistad se mantenga, y que, surgida de cualquier manera una disensión, si bien la desgracia es común para ambos, para ti especialmente, si has hecho entrega de *c* lo que más estimas, el daño sería grande, lo natural en ese caso es que temas más a los enamorados. Pues son muchas las cosas que les afligen, y creen que todo sucede en su propio perjuicio. Por ello evitan el trato de sus amados con los demás, temiendo que los que tienen hacienda los sobrepasen con sus riquezas, y que los que están educados los aventajen con su inteligencia. Y según que cada cual posea una buena cualidad, *d* se precaven ante su influencia. Así que, habiéndote persuadido a enemistarte con éstos, te ponen en una completa soledad de amigos; y si tú, velando por tu interés, te muestras más sensato que ellos, incurrirás en desavenencias con ellos. Por el contrario, quienes, sin estar enamorados, han conseguido su demanda en razón de su mérito no mirarían con malos ojos a quienes tuvieran trato contigo; antes bien, aborrecerían a los que no quisieran tenerlo, por considerar que por estos últimos son menospreciados, y les son beneficiosos, en cambio, los primeros. De modo que los que aceptan sus requerimientos tienen muchos mayores motivos de esperar que sean amistades y no enemistades lo que les *e* reporte su relación con ellos.

Además, muchos de los enamorados son domina-dos por el deseo del cuerpo antes de conocer el carác-ter y tener experiencia de las demás particularidades de sus amados, de suerte que para éstos queda en lo incierto si aún querrán ser amigos, cuando cesen en su deseo. En cambio, en el caso de quienes no están *233* enamorados y consiguieron su demanda, existiendo previamente una mutua amistad, lo natural no es que los buenos ratos pasados disminuyan su amistad; sino que queden como un indicio de los que va a haber en el futuro. Y, ciertamente, es de tu incumbencia el hacerte mejor, haciéndome caso a mí y no a un ena-morado. Pues esos hombres alaban, incluso contra lo que es lo mejor, dichos y hechos, en parte por temor a granjearse el encono de su amado, y en parte también por tener ellos peor criterio de juicio por culpa de su deseo. Pues he aquí los efectos que muestra el amor: *b* a los desafortunados les hace considerar insoportable lo que a los demás no produce pena, a los afortunados los obliga a prestar su alabanza incluso a lo que no es digno de gozo. De manera que a los amados con-

viene mucho más compadecerlos que envidiarlos. En cambio, si me haces caso a mí, en primer lugar, en mis relaciones contigo no atenderé tan sólo al placer del momento, sino también al provecho que habrá en
c el futuro, sin ser vencido por el amor, sino dominándome a mí mismo; sin dejarme arrastrar por un fútil motivo a una gran enemistad, sino mostrando con calma a gran motivo poca ira; otorgando mi perdón a las faltas involuntarias, y tratando de evitar las voluntarias. Pues éstas son las pruebas de que una amistad ha de durar mucho tiempo. Mas si por ventura se te ha ocurrido pensar que no es posible que exista una profunda amistad, a no ser que se esté enamorado,
d menester es que reflexiones que en ese supuesto no estimaríamos tanto ni a nuestros hijos, ni a nuestros padres, ni a nuestras madres; ni serían tampoco fieles amigos nuestros aquellos que no los hemos creado por un deseo semejante, sino por otras relaciones.

Pero es más, si debe uno otorgar su favor a quienes más lo solicitan, conviene, incluso en otras cuestiones, no hacer bien a los mejores, sino a los más necesitados, porque cuanto mayores sean los males de que son liberados, mayor será el agradecimiento que nos tendrán.
e E incluso en nuestros banquetes privados lo indicado no es invitar a los amigos, sino a los mendigos y a los necesitados de un hartazgo. Pues éstos nos querrán[23], nos acompañarán, vendrán a nuestra puerta, se regocijarán grandemente, nos tendrán el mayor agradecimiento, y pedirán para nos otros muchos bienes. Pero

tal vez no conviene otorgar nuestros favores a quienes los piden con grandes instancias, sino a quienes mejor pueden devolvernos el favor. Ni tampoco a quienes aman simplemente, sino a los dignos de su concesión; 234 ni a cuantos vayan a aprovecharse de tu lozanía, sino a quienes, cuando envejezcas, te harán partícipe de sus bienes. Ni tampoco a los que, conseguido su empeño, se vayan a jactar ante los demás, sino a quienes por pudor callarán ante todos; ni a cuantos se interesan por poco tiempo, sino a los que han de ser por igual amigos toda la vida; ni, asimismo, a quienes, cuando cesen en su deseó, buscarán un pretexto de enemistad, sino a cuantos, una vez marchita tu lozanía, te mostrarán entonces su virtud. Conque acuérdate de lo dicho, y *b* ten presente que a los enamorados los amonestan sus amigos en la idea de que su proceder es malo, y, en cambio, a los que no lo están, jamás les censuró ninguno de sus familiares en la idea de que por ello tomaban malas decisiones sobre sí mismos.

Tal vez podrías preguntarme si te aconsejo que otorgues tu favor a todos los que no están enamorados de ti. Pero yo creo que ni siquiera el enamorado te exhortaría a tener esa idea con respecto a todos los enamorados. Pues ni al que toma tu favor con sensatez *c* le resulta esto digno de igual agradecimiento, ni a ti tampoco, si quieres pasar inadvertido a los demás, te será ello posible por igual en todos los casos. Y es preciso que de este asunto no resulte ningún daño, sino provecho para ambos.

En conclusión, yo por mi parte estimo suficiente lo que he dicho. Tú si echas de menos algo, por considerar que se ha pasado por alto, pregúntame".

¿Qué te parece el discurso, Sócrates? ¿No es una extraordinaria pieza oratoria, entre otras razones, especialmente por su léxico?

d SÓCRATES.– Divina ciertamente, compañero, hasta tal punto que quedé estupefacto. Y ese asentimiento lo he experimentado por tu causa, Fedro, poniendo en ti mis ojos, porque me parecías en medio de la lectura ponerte radiante por efecto del discurso. Te seguía por considerar que tú entendías más que yo de tales cosas, y al seguirte me contagié del delirio báquico que tú, divina cabeza, tenías.

FEDRO.– ¡Vaya! ¿Conque decides tomarlo a broma?

SÓCRATES.– ¿Te doy la impresión acaso de bromear y no hablar en serio?

e FEDRO.– En modo alguno, Sócrates, pero dime la verdad, por Zeus, patrón de la amistad, ¿crees que algún otro griego podría decir cosas mejores en calidad y mayores en cantidad sobre el mismo tema?

SÓCRATES.– ¿Y qué? ¿Debemos alabar nosotros, tú y yo, el discurso también en el sentido de que su compositor ha dicho lo debido, y no sólo en aquel otro de que cada una de sus palabras ha sido torneada con claridad, rotundidad y exactitud? Pues si es preciso hacerlo, te lo he de conceder como un favor, ya que a
235 mí se me escapó por culpa de mi nulidad. En efecto, únicamente presté atención a su parte retórica, pero

ni siquiera en este aspecto pensé que el propio Lisias lo considerara satisfactorio. Es más, Fedro, me pareció, a no ser que tú digas otra cosa, que repetía dos y tres veces los mismos conceptos, como si no estuviera sobrado de inspiración para decir muchas cosas sobre el mismo tema, o quizá como si no le importara nada semejante empeño. Asimismo se me revelaba pueril al demostrar que era capaz de decir lo mismo de una manera y de otra, y de hacerlo espléndidamente en ambas.

FEDRO.– No dices nada de peso, Sócrates. Pues esa *b* misma condición la posee, y en grado sumo, el discurso. En efecto, de las cuestiones implicadas en el tema que merecían ser expuestas, no ha pasado por alto ninguna, hasta el punto de que en comparación con lo dicho por él ninguno podría jamás decir más palabras y de mayor valía.

SÓCRATES.– De eso yo ya no seré capaz de dejarme convencer por ti. Pues sabios varones de antaño hay y mujeres, que por haber hablado y escrito sobre estas cuestiones, se encargarán de refutarme, si yo por congraciarme contigo te doy la razón.

FEDRO.– ¿Quiénes son ésos? ¿Y dónde has oído tú ra- *c* zones mejores que éstas?

SÓCRATES.– Ahora y así, de pronto, no puedo decirlo. Pero es evidente que las he escuchado a alguien, bien fuera a Safo la bella, o a Anacreonte el sabio, o incluso a ciertos prosistas[24]. Y ¿de dónde saco yo mi afirmación? Por tener, divino amigo, en cierto modo el pecho rebosante, me doy cuenta de que podría decir otras razones no inferiores a éstas. Y que ninguna de ellas las he ideado por mí mismo bien lo sé, estando como estoy consciente de mi incompetencia. Por ello sólo queda, creo yo, el que en alguna parte, en fuentes *d* ajenas y de oídas, me haya llenado de ellas a la manera de una vasija. Pero por culpa de mi estupidez incluso tengo olvidado cómo las oí y a quiénes se las escuché.

FEDRO.– Bien dicho, mi noble amigo. Mas tampoco te invito yo a que me cuentes a quiénes y cómo las escuchaste. Haz tan sólo lo que dices. Has prometido decir otras razones mejores en calidad y no inferiores en número a las contenidas en el volumen, sin tocar éstas. Yo por mi parte te prometo, como los nueve ar-contes[25], consagrar en Delfos en oro y en tamaño natu-*e* ral, no sólo mi estatua sino también la tuya.

SÓCRATES.– Tú sí que eres, Fedro, además de exce-lente amigo, verdaderamente de oro[26], si crees que yo digo que Lisias ha errado por completo su meta, y que es posible decir otras razones diferentes a todas éstas. Esto, creo yo, no le podría ocurrir ni al más vulgar es-critor. Por ejemplo, en lo que respecta al tema del dis-curso, ¿quién crees que diciendo que se debe otorgar favor al no–enamorado con preferencia al enamorado, 236 si pasa por alto el encomio de la cordura y la censura de la insensatez, tópicos sin duda obligados, va a poder hacer luego alguna otra consideración? Son éstos, a mi entender, puntos que se han de dejar y permitir al orador; y en ellos no se ha de alabar la invención, sino la disposición. En cambio, en los que no son obligados de tocar, pero son difíciles de inventar, además de la disposición ha de alabarse la invención.

FEDRO.– Admito lo que dices, pues me parece que te has expresado con mesura. Así que obraré también yo así. Te daré como tesis que el enamorado padece de *b* un mal mayor que el no enamorado; y si en lo demás das más argumentos y de mayor valía que los de Lisias, quede erigida una estatua tuya, trabajada a martillo, en Olimpia junto a la ofrenda de los Cipsélidas[27].

SÓCRATES.– ¿Te has picado, Fedro, porque ataqué a tu amado Lisias por burlarme de ti? ¿Crees acaso que yo de veras voy a tratar de decir, en competición con su talento, otra cosa más florida?

FEDRO.– En esto, amigo, te dejaste coger por la misma llave[28] que yo. Ante todo has de hablar conforme a *c* tu capacidad; y a fin de que no nos veamos obligados a desempeñar el vulgar oficio de comediantes, intercambiándonos mutuamente las invectivas, ponte en guardia, y no quieras obligarme a decir aquello de "si yo, Sócrates, no conozco a Sócrates, me he olvidado también de mí mismo", y lo de "ardía en deseos de hablar, pero hacía melindres"[29]. Hazte a la idea de que no nos marcharemos de aquí hasta que no digas lo que, según tu anterior afirmación, tenías en el pecho. Estamos los dos solos en lugar deshabitado, y yo soy más fuerte y mas joven. De todo esto "comprende lo que te digo"[30], *d* y no prefieras por ningún concepto hablar a la fuerza a hacerlo de buen grado.

SÓCRATES.– Pero, bienaventurado Fedro, ante un buen escritor, yo, un profano, haré el ridículo, al improvisar sobre los mismos temas.

FEDRO.– ¿Sabes cómo está el asunto? Cesa de fingir ante mí. Pues tengo en la punta de los labios lo que he de decir para obligarte a hablar.

SÓCRATES.– Entonces, de ningún modo lo digas.

FEDRO.– ¡Quiá!; ahora mismo lo estoy diciendo. Y mis palabras serán un juramento. Te juro en verdad
e –pero ¿por quién, por qué dios?, ¿o prefieres que sea por este plátano?[31]–que, si no me pronuncias tu discurso ante este mismo árbol, jamás te volveré a leer o a dar noticias de ningún otro discurso, fuera de quien fuere.

SÓCRATES.– ¡Ay!, granuja, ¡qué bien descubriste el medio de coaccionar a un hombre amante de discursos a hacer lo que ordenes!

FEDRO.– Entonces, ¿qué excusa tienes para zafarte?

SÓCRATES.– Ninguna ya, una vez que tú has hecho este juramento. Pues ¿cómo sería yo capaz de abstenerme de semejante deleite?

237 FEDRO.– Habla, pues.

SÓCRATES.– ¿Sabes qué voy a hacer?

FEDRO.– ¿Respecto a qué?

SÓCRATES.– Me voy a cubrir el rostro para hablar, a fin de pasar de punta a punta el discurso, corriendo a toda velocidad, sin azorarme de vergüenza al mirarte.

FEDRO.– Habla de una vez, y haz lo demás como quieras.

SÓCRATES.– Ea, pues, Musas melodiosas, bien sea la naturaleza de vuestro canto, bien el pueblo musical de los Ligures[32] la causa de que hayáis recibido esta denominación, prestadme vuestra ayuda en el mito que me obliga a contar ese hombre excelente que veis ahí, a fin de que su compañero, que ya antes le parecía sabio, se lo parezca ahora todavía más.   *b*

Era una vez un niño, o, mejor dicho, un mozalbete, sumamente bello, que tenía muchísimos enamorados. Era uno de ellos ladino y, a pesar de que estaba prendado de él más que ninguno, teníalo convencido de que no lo amaba. Un día, requiriéndolo de amores, trataba de persuadirlo precisamente de que se debía otorgar el favor al no–enamorado con preferencia al enamorado, y decía así:

"En todo asunto, muchacho, sólo hay un comienzo para los que han de tomar una buena determina- *c* ción. Es preciso conocer aquello sobre lo que versa la determinación[33], so pena de errar totalmente. Pero a los más les pasa inadvertido que no conocen la realidad de cada cosa, y sin ponerse de acuerdo en la idea de que conocen su objeto al principio de la deliberación, en el transcurso de ésta reciben el natural castigo: no llegan a un asenso ni con ellos mismos, ni entre sí. Así que, no nos vaya a ocurrir a ti y a mí lo que censuramos a los demás, y puesto que tenemos planteada la cuestión de si es la amistad del enamorado o la del no–enamorado la que se debe buscar con preferencia,

hagamos primero de mutuo acuerdo una definición
sobre el amor; sobre su naturaleza y su poder, y lue-
d go, poniendo en ella la vista y refiriéndonos a ella, hagamos el examen de si acarrea provecho o perjuicio.
Ahora bien, que el amor es una especie de deseo está
claro para todo el mundo. Asimismo, el que también
los que no están enamorados desean a los bellos es
algo que sabemos. ¿Con qué criterio, pues, discerni-
remos al enamorado del no-enamorado? Preciso es de
nuevo distinguir que en cada uno de nosotros hay dos
principios rectores o conductores, que seguimos do-
quiera que nos guíen: el uno es un apetito innato de
placeres, y el otro un modo de pensar adquirido[34] que
e aspira a lo mejor. A veces tienen ambos en nosotros
un mismo sentir, otras, en cambio, están en pugna. En
ocasiones es uno el que domina, en otras el otro. Si es
ese modo de pensar que guía hacia lo mejor mediante
el razonamiento el que detenta la victoria, se da a ésta
el nombre de templanza. En cambio, si es el apetito
que arrastra irracionalmente hacia los placeres lo que
en nosotros domina, se aplica a este dominio el nom-
238 bre de intemperancia. Pero la intemperancia tiene
muchos nombres, pues consta de muchos miembros y
formas; y entre esas sus formas aquella que por ventura se haga notar confiere su nombre a quien la posee;
un nombre ni bello ni digno de llevarse. En efecto, si
es en lo relativo a la comida donde prevalece el apetito
b sobre la noción de lo mejor y los restantes apetitos, se
llama entonces glotonería, y hace que se llame glotón

a quien lo tiene. A su vez, si es en lo tocante a la embriaguez donde se muestra como un tirano, y por ese camino conduce a quien lo posee, está claro qué denominación recibirá. Y en lo que respecta a los demás nombres hermanos de éstos y de apetitos hermanos, es asimismo evidente el que conviene aplicar, según sea el que en cada caso ejerza su despótico dominio. Mas ¿cuál es el apetito por cuya causa se ha dicho todo lo anterior? Poco más o menos ya está claro, pero, si se dice, quedará de todas formas más claro que si no se dice: el apetito que, prevaleciendo irracionalmente sobre ese modo de pensar que impulsa a la rectitud, tiende al disfrute de la belleza, y triunfa en su impulso *c* a la hermosura corporal, fuertemente reforzado por sus apetitos parientes, es el que, recibiendo su denominación de su misma fuerza, ha sido llamado amor."[35]

Pero, ¡oh amigo Fedro!, ¿no te parece, como a mí, que he pasado por un trance de inspiración divina?

FEDRO.– En efecto, Sócrates, contra lo acostumbrado se ha apoderado de ti una vena de elocuencia.

SÓCRATES.– Escucha en silencio entonces. Pues en verdad parece divino el lugar, de suerte que, si al avanzar *d* *d* mi discurso quedo poseído por las ninfas, no te extrañes; que por el momento ya no ando muy lejos de entonar un ditirambo.

FEDRO.– Gran verdad es lo que dices.

SÓCRATES.– Y el causante de ello eres tú. Pero escucha el resto, que tal vez esa desgracia inminente pueda evitarse. Pero de eso se cuidará la divinidad. Nosotros hemos de dirigirnos de nuevo al muchacho con nuestro discurso.

"Está bien, buen amigo. Lo que es el objeto sobre el que hemos de deliberar queda dicho y definido; así que, poniendo nuestra vista en ello, digamos lo que queda por decir: ¿qué provecho o perjuicio, según las *e* probabilidades, sacará del enamorado y del no enamorado quien les conceda su favor? De hecho, quien es súbdito del deseo y esclavo del goce necesariamente pone al amado en situación de procurarle el máximum de placer. Porque para quien está enfermo es grato todo lo que no se le opone y aborrecible lo que le domina o es su igual. Así, pues, el amante no soportará de buen talante que el amado sea superior a él *239* o se le iguale, y lo hará siempre inferior y más débil. E inferior es el ignorante al sabio, el cobarde al valiente, el incapaz de hablar al orador, el lerdo al avispado. Produciéndose tantos males –y aún más– en la inteligencia del amado, y también existiendo en ella por naturaleza, necesariamente el amante se alegrará de estos últimos y preparará los otros, so pena de quedar privado de su placer del momento. Por fuerza, *b* pues, habrá de ser celoso; y al apartar a su amado de muchas provechosas relaciones con las que podría hacerse en el más elevado sentido de la palabra un hombre, por fuerza también habrá de ser el causante de un gran perjuicio; y del más grande, al apartarle de aquello que podría conferirle la mayor capacidad de juicio. Y esto es precisamente la divina filosofía, de la que forzosamente mantendrá a distancia el amante a su amado, por temor a incurrir en su menosprecio. En cuanto a lo demás, deberá ingeniárselas para que éste sea ignorante de todo y en todo ponga la vista en su enamorado, con lo que si aquél está en situación de serle sumamente placentero, lo está también en la de hacerse muchísimo daño a sí mismo. Así que; en lo que atañe a la inteligencia, el hombre con amor en modo *c* alguno es provechoso como tutor y compañero.

A continuación, es preciso ver en lo relativo al estado del cuerpo y a sus cuidados, de qué temple será ese estado, y cómo cuidará su cuerpo aquel que haya caído en las manos de un hombre que está obligado a perseguir el placer en lugar del bien. Se verá efectivamente que un hombre así persigue a cualquier muchacho delicado, y no a uno robusto; criado no a pleno sol, sino en un sol y sombra; desacostumbrado a las fatigas viriles y a los secos sudores, acostumbrado, en cambio, a un régimen de vida muelle e impropio de varón; adornado con cosméticos y colores que no son *d* suyos a falta de los propios; practicando en suma todas cuantas cosas están en consonancia con éstas, que por evidentes no vale la pena de seguir exponiendo, bastando con definir un solo punto capital antes de pasar a otra cuestión. En efecto, ante un cuerpo semejante, en el combate y demás ocasiones de gravedad, los enemigos cobran ánimos, en tanto que los amigos y los propios enamorados se aterran.

Así, pues, se ha de dejar esto por evidente y se ha de
e decir lo que viene a continuación: ¿Qué provecho o
qué perjuicio nos ocasionará con respecto a nuestras
posesiones el trato y tutela del enamorado? De hecho,
hay algo que es evidente para todo el mundo, pero en
especial para el enamorado, el que pediría antes que
cosa alguna que su amado estuviera huérfano de los
bienes más queridos, mejor intencionados para con
él, y más divinos. En efecto, preferiría que estuviera
privado de padre y de madre, de parientes y amigos,
240 por considerarlos un obstáculo con sus censuras para
su dulcísimo trato con él. Además, si tiene el amado
riquezas, en oro o en otros bienes cualesquiera, no le
considerará tan fácil de conquistar, ni, una vez conquistado, tan dócil de manejar. Por ello ha de dolerle
de toda necesidad al amante que el amado tenga hacienda, y de alegrarle la pérdida de ésta. Pero aún más,
su deseo sería el de que éste permaneciera el mayor
tiempo posible soltero, sin hijos y sin casa, por su ape-
tencia de recoger el mayor tiempo posible el fruto de
su placer.

Existen, sin duda, también otros males, pero cierta
b divinidad puso en la mayor parte de ellos un gozo mo-
mentáneo: por ejemplo, el adulador, terrible engen-
dro y sumamente dañino, en el que, con todo, mezcló
la naturaleza un cierto placer, no exento de encanto.
Igualmente se podría vituperar a la cortesana como
algo pernicioso, así como a otras muchas criaturas de

índole semejante, y formas de vida que al menos cumplen la condición de ser sumamente agradables en la diaria rutina. Pero para un amado el amante, aparte de serle nocivo, es lo más desagradable de todo para pasar en su compañía la jornada. Pues "cada cual se divierte *c* con los de su edad"[36], dice el refrán, ya que por conducir la igualdad de años a los mismos placeres procura, creo yo, la amistad por la semejanza de gustos. Aun así, produce también saciedad el trato con los coetáneos. Porque lo que es obligatorio, asimismo se dice, resulta pesado en toda cuestión a todo el mundo. Y esto es precisamente un inconveniente que, además de la desigualdad de edad, posee en grado sumo el amante con respecto del amado. Pues, como mayor en edad que es, y por tener trato con uno más joven, no admite de buen grado el ser abandonado por éste ni de día ni de noche. Antes bien, es impulsado por una fuerza irresistible y un aguijón que le empuja al ofrecerle constantemente placeres, al ver, al escuchar, al tocar, al tener cualquier experiencia sensorial con el amado; *d* en consecuencia le presta sus servicios firmemente con placer. En cambio, ¿qué solaz o qué placeres dará al amado para lograr que, estando éste en su compañía el mismo tiempo, no llegue al colmo del hastío? Pues lo que ve el amado es un rostro envejecido y marchito, y las demás cosas que de esto derivan, que si no son agradables de oír de palabra, no digamos ya de enfrentarse con ellas de hecho, cuando siempre se tie- *e* ne junto a sí la obligación de ello: el ser objeto de una vigilancia llena de injustas sospechas constantemente y frente a todos; el escuchar alabanzas inoportunas y exageradas; y lo mismo el recibir reproches que, si son insoportables cuando el amante está sereno, aparte de insoportables, son vergonzosos cuando éste, al emborracharse, emplea una franqueza estomagante y descarada.

Y si mientras está enamorado es pernicioso y desagradable, cuando cesa de estarlo se convierte en desleal para el futuro; ese tiempo para el que hizo muchas promesas con muchos juramentos y súplicas, reteniendo a duras penas unas relaciones, que eran ya enton-
241 ces difíciles de soportar para el amado, gracias a las esperanzas de bienes venideros que le infundía. Pero precisamente en el momento en que sería menester que las cumpliera, poniendo a otro guía y patrono en su interior: el buen juicio y la templanza en lugar del amor y la pasión, se convierte en otro hombre sin que el amado se dé cuenta. Reclámale éste el agradecimiento de los favores del pasado, recordándole los dichos y los hechos, como si estuviera conversando con el mismo hombre. Pero aquél, por vergüenza, ni se atreve a decir que se ha convertido en otro ser, ni tampoco sabe cómo podrá mantener los juramentos y las promesas
b de su anterior e insensato gobierno, ahora que ha adquirido juicio y calmado sus pasiones, sin convertirse otra vez, por hacer las mismas cosas que antes, en un hombre idéntico o semejante al de antaño. Así que, el amante del pasado viene a ser un desertor de sus

propias promesas, forzado a la no comparecencia, y al caer de la otra cara la concha[37], da asimismo la vuelta y emprende la huida. En cuanto al muchacho, se ve obligado a perseguirle, irritándose e invocando a los dioses, desconocedor en absoluto del asunto desde sus mismos comienzos, es decir, que nunca hubiera debido ser un hombre enamorado y por necesidad ofuscado a quien otorgara a su favor, sino muy al contrario, uno no enamorado y en su sano juicio. Pues, de no *c* hacerlo así, forzosamente habría de entregarse a un hombre desleal, irritable, celoso, desagradable, perjudicial para la hacienda, perjudicial para el temple del cuerpo, pero mucho más perjudicial aún para la educación del alma, un bien en verdad que no tiene parejo ni tendrá en la estimación de los dioses y de los hombres. Esto es, pues, muchacho, lo que debes meditar, comprendiendo que la amistad de un enamorado nunca nace unida a la buena intención, sino como la afición por un manjar, por mor de la saciedad:

Tal como el lobo al cordero, ama el amante al   *d*
mancebo. "[38]

Pero he aquí lo que decía, Fedro: No podrás ya oírme hablar más. Ea, tenga aquí su fin el discurso.

FEDRO.– ¿Cómo? Yo me figuraba que estabas por su mitad y que ibas a hacer una exposición igual con respecto al no–enamorado, en demostración de que se le deben otorgar a él con preferencia los favores, enumerando en su turno cuantos puntos favorables tiene. ¿Por qué ahora, Sócrates, te paras?

e SÓCRATES.– ¿No te diste cuenta, bendito, de que estoy ya declamando versos épicos y no ditirambos?

Y eso que estaba haciendo el vituperio. Pero, si empiezo a hacer la alabanza del otro, ¿qué crees que iba a componer? ¿Acaso no comprendes que iba a quedar claramente poseído por las ninfas, a las que tú me arrojaste premeditadamente? Por ello digo de una vez que las contrarias de cuantas cosas hemos recriminado al uno son los puntos favorables que concurren en el otro. ¿Qué falta hace extenderse más? De ambos se ha dicho lo suficiente. De ese modo mi historia correrá la 242 suerte que merezca correr. Y yo cruzo el río este y me voy, antes de ser obligado por ti a pasar por otra más grave.

FEDRO.– Aún no, Sócrates, antes de que pase el ardor del sol. ¿No ves que ya casi es mediodía, lo que se dice "pleno mediodía"? Ea, esperemos, conversando entre tanto sobre lo dicho, y tan pronto como refresque, nos iremos.

SÓCRATES.– Eres un ser divino con los discursos[39], Fedro, un ser sencillamente admirable. Pues creo yo que entre todos los discursos que ha habido durante tu vida *b* nadie ha logrado que se hicieran más que tú, bien los pronunciaras tú, bien obligaras a pronunciarlos a los demás de una forma o de otra –exceptúo a Simmias el tebano[40]; que a los restantes los vences con mucho–. Y ahora también me parece que has sido la causa de que yo tenga que pronunciar cierto discurso.

FEDRO.– No es precisamente la guerra[41] lo que anuncias. Pero, ¿cómo ha sido ello, y qué discurso es ése?

SÓCRATES.– Cuando me disponía, buen amigo, a cruzar el río, me vino esa señal divina[42] que suele producirse en mí –siempre me detiene cuando estoy a punto *c* de hacer algo–, y me pareció oír de ella una voz que me prohibía marcharme, hasta que no me hubiera purificado, como si efectivamente hubiera cometido algún delito contra la divinidad. Soy, en efecto, adivino, no uno muy bueno, sino al modo de los malos escribientes, lo imprescindible tan sólo para bastarme a mí mismo. Y ya comprendo claramente mi pecado; que en verdad, compañero, el alma es también algo con cierta capacidad de adivinación. Pues hubo un no sé qué que me inquietó hace un rato mientras estaba pronunciando mi discurso, y me entró cierta preocupación, no fuera que, al decir de Ibico[43],

pecando ante los dioses, honor de los hombres a   *d*
cambio recibiera.

Pero ahora me he percatado de mi ofensa.

FEDRO.– ¿A qué te refieres?

SÓCRATES.– Es pavoroso, Fedro, es pavoroso el discurso que tú trajiste y el que me obligaste a mí a pronunciar.

FEDRO.– ¿Cómo es así?

SÓCRATES.– Es necio y en cierto modo impío. ¿Qué

otro podría haber más terrible?

FEDRO.– Ninguno, si es verdad lo que tú afirmas.

SÓCRATES.– ¿Y qué? ¿No crees que es el Amor hijo de Afrodita y una divinidad?[44].

FEDRO.– Al menos así se dice.

SÓCRATES.– Mas no lo dice así ni Lisias, ni tu discurso, es decir, el que pronunció mi boca, hechizada por
e ti. Y si es el Amor, como lo es sin duda, un dios o algo divino, no podría ser en modo alguno algo malo. Pero los dos discursos de hace un momento hablaron de él como si lo fuera. En este sentido, pues, pecaron contra el Amor; y encima su necedad llega al colmo del refinamiento: el de ufanarse, sin decir nada sensato ni
243 verdadero, como si tuvieran alguna consistencia, para ver de engañar a ciertos hombrecillos de poca valía y gozar en el futuro de buena fama entre ellos. A mí, pues, amigo, preciso me es purificarme. Y hay para los que pecan contra la mitología una antigua purificación que no percibió Homero, y sí, en cambio, Estesícoro. Pues, privado de la vista por culpa de su maledicencia contra Helena, no desconoció la causa como Homero, sino que, a fuer de buen artista, la descubrió y compuso inmediatamente:

"No es cierto el decir ese,
  ni embarcaste en las naves de buena cubierta,
b *ni llegaste al alcázar de Troya."*

Y al punto que hubo escrito toda la llamada "Palinodia"[45] recobró la visión. Ahora bien, yo seré más sabio que aquellos, al menos en eso mismo: antes de que me ocurra una desgracia por difamación del Amor, intentaré rendirle el tributo de mi palinodia, con la cabeza al descubierto y no velado como antes por vergüenza.

Fedro.– Nada hubieras podido decirme, Sócrates, más agradable que esto.

Sócrates.– En efecto, buen Fedro, pues te das cuenta *c* de cuan desvergonzadamente se expresaron los dos discursos, este mío y el que se leyó de tu escrito. Suponte que por casualidad nos hubiera escuchado un hombre de carácter noble y apacible, que estuviese enamorado de otro tal como él, o lo hubiera estado alguna vez anteriormente, cuando decíamos que por fútiles motivos los enamorados suscitan grandes enemistades y que son envidiosos y dañinos para sus amados, ¿no crees tú que pensaría sin remedio que estaba oyendo hablar a hombres criados entre marineros y que no habían visto ningún amor propio de hombres libres? *d* ¿No estaría muy lejos de estar de acuerdo con nosotros en lo que vituperamos al Amor?

Fedro.– Sí, por Zeus, tal vez, Sócrates.

Sócrates.– Pues bien, por vergüenza ante ese hombre y por temor al propio Amor, estoy deseoso de enjuagar, por decirlo así, con un discurso potable el regusto salobre de lo que acabamos de oír. Y mi consejo a Lisias es que lo antes posible escriba que es al enamorado mejor que al no–enamorado a quien en justa correspondencia se debe otorgar el favor[45bls].

FEDRO.– Ea, ten bien sabido que así será. Habiendo pronunciado tú la alabanza del amante, de toda necesidad es que Lisias sea obligado por mí a escribir a su vez un discurso sobre el mismo tema.

SÓCRATES.– De eso estoy seguro, mientras seas tal como eres.

FEDRO.– Habla entonces con confianza.

SÓCRATES.– ¿Dónde se me ha metido el muchacho a quien hablaba? Lo digo con la intención de que oiga también esto, y no se adelante, por no haberlo escuchado, a conceder su favor al no–enamorado.

FEDRO.– Ese está siempre a tu lado y muy cerquita, cuando quieres.

SÓCRATES.– Pues bien, bello mancebo, hazte a la idea de que el anterior discurso era de Fedro, hijo de Pitocles, varón de Mirrinunte, mientras que el que voy a pronunciar es de Estesícoro, hijo de Eufemo[46], natural de Hímera. Y se ha de exponer así: "no es cierto el decir" que afirme que, aún existiendo enamorado, se ha de conceder favor al no-enamorado, precisamente porque uno está loco, y el otro en su sano juicio. Si fuera una verdad simple el que la locura es un mal, se diría eso con razón. Pero el caso es que los bienes mayores se nos originan por locura, otorgada ciertamente por divina donación. En efecto, tanto la profetisa de Delfos, como las sacerdotisas de Dodona es en estado de locura en el que han hecho a la Hélade, privada y públicamente, muchos hermosos beneficios, en tanto que en el de cordura, pocos o ninguno.

Y si enumeráramos a la Sibila y a los demás que, empleando un tipo de mántica por rapto divino, predijeron a muchos muchas cosas para el futuro y acertaron, nos extenderíamos exponiendo lo que es evidente para todo el mundo. Lo que, no obstante, sí es digno de aducirse como testimonio es que tampoco aquellos hombres de antaño que pusieron nombres a las cosas tuvieron por deshonra ni oprobio la "manía"[47]; pues, *c* de otro modo, no hubieran llamado "mánica" a esa bellísima arte, con la que se discierne el futuro, enlazándola con dicho nombre. Por el contrario, fue en la idea de que era algo bello, cuando se produce por divino privilegio, por lo que tal denominación le impusieron. Mas los hombres de ahora, en su desconocimiento de lo bello, introduciendo la *t* la llamaron "mántica". Pues asimismo a la investigación del futuro propia de los que están en posesión de sus facultades mentales y se sirven para realizarla de aves y restantes indicios, como mediante la reflexión procuran a la creencia humana comprensión e información, le dieron el nombre de "oionoística"; un arte, que actualmente llaman las nuevas generaciones "oionística", adornando el término pedantemente con la *o* larga. Pues bien, cuanto mayor es en perfección y dignidad la mántica con respecto *d* a la oionística, su nombre con respecto al nombre de ésta, y el quehacer de la una con respecto al quehacer de la otra, tanto mayor es en belleza, según el testimonio de los antiguos, la locura con respecto a la cordura; ese estado de alma que envía la divinidad con respecto a ese otro que procede de los hombres.

Aparte de esto, para las mayores enfermedades y sufrimientos que se produjeron en ciertas familias[48] de no se sabe qué antiguos resentimientos de los dioses, la locura, apareciendo donde debía aparecer y profetizando a quienes debía profetizar, encontró remedio, refugiándose en las súplicas y en el culto de los dioses; *e* y de ahí consiguió ritos purificatorios e iniciaciones con los que hizo libre la culpa en el presente y en el futuro al que tiene parte de ella[49], descubriendo para quien está loco y poseído en su debida forma el medio de liberarse de las desgracias que lo afligen.

245 Pero hay un tercer estado de posesión y de locura procedente de las Musas que, al apoderarse de un alma tierna y virginal, la despierta y la llena de un báquico transporte tanto en los cantos como en los restantes géneros poéticos, y que, celebrando los mil hechos de los antiguos, educa a la posteridad. Pues aquél que sin la locura de las Musas llegue a las puertas de la poesía[50] convencido de que por los recursos del arte habrá de ser un poeta eminente, será uno imperfecto, y su creación poética, la de un hombre cuerdo, quedará oscurecida por la de los enloquecidos.

b Tantos son, y aún más, los bellos efectos que te puedo enumerar de la locura que procede de los dioses. De suerte que no temamos el hecho en sí de la locura, y ningún razonamiento nos confunda, amedrentándonos con la afirmación de que se debe preferir como amigo al cuerdo y no al perturbado. Antes bien, que se lleve tal argumento el premio de la victoria, si además de eso prueba que no es en beneficio del amante y del amado como es enviado por los dioses el amor. Pero es lo contrario lo que por nuestra parte hemos de demostrar: que es con vistas a la mayor felicidad de ambos como les es otorgada por parte de los dioses *c* locura semejante. En cuanto a la demostración, si no será convincente para los hombres hábiles, lo será, en cambio, para los sabios. Pero para ello es menester antes que nada comprender la verdad, viendo con relación a la naturaleza del alma divina y humana tanto las pasiones como las operaciones. Y he aquí el principio de la demostración.

Toda alma es inmortal, pues lo que siempre se mueve es inmortal. Pero aquello que mueve a otro y por otro es movido, por tener cesación de movimiento tiene cesación de vida. Únicamente, pues, lo que se mueve a sí mismo, como quiera que no se abandona a sí mismo, nunca cesa de moverse, y es además para todas las cosas que se mueven la fuente y el principio del movimiento. Pero el principio es ingénito, pues es necesario que todo lo que nace nazca del principio, *d* y éste no nazca de nada en absoluto. En efecto, si el principio naciera de algo, ya no sería principio. Mas, puesto que es ingénito, es necesario también que sea imperecedero, pues si perece el principio, él no podrá nacer nunca de otra cosa, ni otra cosa podrá nacer de él, ya que es necesario que todo nazca del principio. Así, pues, el principio del movimiento es lo que se mueve a sí mismo. Y esto es imposible que perezca ni que nazca, so pena de que el universo[51] entero y todo el proceso de generación, derrumbándose, se detuvieran, y no tuvieran nunca una fuente para volver de nuevo, recobrando el movimiento, a la existencia. Y habiéndose mostrado inmortal lo que se mueve a sí mismo, no se tendrá vergüenza en afirmar que es eso precisamente la esencia y la noción del alma. Pues todo cuerpo al que le viene de fuera el movimiento es inanimado, en tanto que todo aquél que lo recibe de dentro, de sí mismo, es animado, como si en esto mismo radicara la naturaleza del alma. Y si esto es así, a saber, que lo que se mueve a sí mismo no es otra cosa que alma, por necesidad el alma habrá de ser algo ingénito e inmortal.

Sobre su inmortalidad basta con lo dicho. Sobre su modo de ser se ha de decir lo siguiente. Describir cómo es, exigiría una exposición que en todos sus aspectos únicamente un dios podría hacer totalmente, y que además sería larga. En cambio, decir a lo que se parece implica una exposición al alcance de cualquier hombre y de menor extensión. Hablemos, pues, así. Sea su símil el de la conjunción de fuerzas que hay entre un tronco de alados corceles y un auriga. Pues bien, en el caso de los dioses los caballos y los aurigas todos son buenos y de buena raza, mientras que en el de los demás seres hay una mezcla. En el nuestro, está en primer lugar el conductor que lleva las riendas de un tiro de dos caballos, y luego los caballos, entre los que tiene uno bello, bueno y de una raza tal, y otro que de naturaleza y raza es lo contrario de éste. De ahí que por necesidad sea difícil y adversa la conducción de nuestro carro. Pero ahora hemos de intentar decir la razón por la que un ser viviente es llamado mortal e inmortal. Toda alma se cuida de un ser inanimado y recorre todo el cielo, aunque tomando cada vez una apariencia distinta. Mientras es perfecta y alada cami- *c* na por las alturas y rige al universo entero; pero aqué-lla que ha perdido las alas es arrastrada hasta alcanzar algo sólido en donde se instala, tomando un cuerpo terrenal que da la impresión de moverse a sí mismo, gracias a su virtud. Llámase ser viviente al conjunto de este ajuste entre alma y cuerpo, que recibe además la denominación de mortal. En cuanto al nombre de in-mortal, no procede en absoluto de ningún concepto del que podamos dar razón. Por el contrario, sin que lo hayamos visto ni lo podamos concebir de una ma-nera satisfactoria, nos forjamos la idea de la divinidad como si fuera un viviente que no muere, con alma por un lado y cuerpo por otro, pero unidos eternamente *d* por naturaleza. Mas quede esto tal como le plazca a la divinidad, y sea también así dicho. La causa, empero, de la pérdida de las alas, que determina el que éstas se le caigan al alma, considerémosla. Es más o menos la siguiente.

La propiedad natural del ala es la de levantar lo pesa-do a lo alto, elevándolo a la región donde habita el linaje de los dioses, y de un modo o de otro es dentro

de las partes del cuerpo lo que más ha participado de la naturaleza divina. Pero lo divino es bello, sabio, bue-
e no y reúne cuantas propiedades hay semejantes. Con ellas precisamente se crían y crecen en grado sumo las alas del alma, mientras que con lo feo, lo malo y los vicios contrarios a aquéllas se consumen y perecen. Pues bien, el excelso conductor del cielo, Zeus, auriga en su carro alado, es quien camina primero, ordenando y cuidándose de todo. Le sigue la hueste de dioses y di-
247 vinidades formada en once escuadrones. Únicamente Hestia permanece en el hogar de los dioses; que todos los demás, encuadrados en el número de doce, van como jefes a la cabeza del destacamento que a cada uno le fue asignado. Y hay muchos y beatíficos espectáculos en el interior del cielo, así como órbitas que recorre el linaje de los dioses bienaventurados, ocupándose cada uno de lo que es de su incumbencia; entre tanto les sigue aquél que en cada caso quiere y puede. Pues la envidia está fuera del divino coro.

Mas cuando se dirigen a su festín a regalarse, caminar cuesta arriba por la cumbre de la bóveda que está
b debajo del cielo, precisamente por donde los vehículos de los dioses, que son por su equilibrio fáciles de conducir, avanzan con holgura, en tanto que los demás lo hacen a duras penas. Pues el corcel que participa de maldad es pesado, gravita hacia tierra, y entorpece a los cocheros que no estén bien entrenados. Allí precisamente se enfrenta el alma con su fatiga y lucha suprema. Las llamadas inmortales, una vez que

han ascendido a la cumbre, salen afuera y se detienen en la espalda del cielo, y al detenerse las transporta *c* circularmente su revolución, mientras contemplan las cosas que hay fuera del cielo.

En cuanto a ese lugar que hay por encima del cielo, jamás hubo poeta de los de aquí que lo celebrara de una manera digna, ni tampoco lo habrá. Pero, puesto que nos hemos de atrever a decir la verdad, especialmente cuando hablamos de la Verdad, he aquí su condición. Es en dicho lugar donde reside esa realidad carente de color, de forma, impalpable y visible únicamente para el piloto del alma, el entendimiento; esa realidad que "es" de una manera real, y constituye *d* el objeto del verdadero conocimiento. Y puesto que la mente de la divinidad se alimenta de pensamiento y ciencia pura, como asimismo la de toda alma que se preocupe de recibir el alimento que le es propio, al divisar al cabo del tiempo al Ser, queda contenta, y en la contemplación de la verdad se nutre y disfruta, hasta que el movimiento de rotación la transporta circularmente al mismo punto. Y en esta circunvalación contempla a la justicia en sí, contempla a la templanza y contempla al conocimiento, pero no aquél, sujeto a cambios, ni aquél otro que es diferente al versar sobre los distintos objetos que ahora nosotros llamamos se- *e* res, sino el conocimiento que versa sobre el Ser que realmente es. Y tras haber contemplado de igual modo las restantes entidades reales y haberse regalado, de nuevo se introduce en el interior del cielo y regresa a casa. Y una vez llegada, el auriga pone los caballos junto al pesebre y les echa como pienso ambrosía, y después les da de beber néctar.

Ésta es la vida de los dioses. En cuanto a las restan-
248 tes almas, la que sigue mejor a la divinidad y más se le asemeja logra sacar al lugar exterior la cabeza del auriga, y es transportada juntamente con aquéllos en el movimiento de rotación; pero, como es perturbada por sus corceles, apenas puede contemplar las realidades. A veces se alza, a veces se hunde, y por culpa de la fogosidad de los caballos ve unas cosas y otras no. Las demás siguen con el anhelo todas de alcanzar la altura, sumergiéndose al fracasar en su intento y siendo arrastradas en el movimiento circular todas a la vez, pisoteándose mutuamente y embistiéndose, al tratar
b de adelantarse las unas a las otras. Así, pues, se produce un tumulto, una pugna, un sudor supremo, en el que por impericia de los aurigas muchas quedan cojas, muchas con muchas plumas quebrantadas, y todas, tras pasar por gran fatiga, se van de allí sin haber sido iniciadas en la contemplación del Ser, recurriendo a la opinión como alimento después de su retirada. Y la razón de ese gran afán por ver dónde está la Llanura de la Verdad es que el pasto adecuado para la parte mejor del alma procede del prado que hay allí, y el
c que con esto se nutre la naturaleza del ala, con la que se aligera el alma.

Y ésta es la ley de Adrastea[52]. Toda alma que, habiendo entrado en el séquito de la divinidad, haya vislum-

brado alguna de las Verdades quedará libre de sufrimien-
to hasta la próxima revolución, y si pudiera hacer lo
mismo siempre, siempre quedará libre de daño. Pero
cuando no las haya visto por haber sido incapaz de seguir el cortejo; cuando, por haber padecido cualquier
desgracia, haya quedado entorpecida por el peso de
una carga de olvido y maldad, perdido las alas a consecuencia de este entorpecimiento, y caído a tierra, la
ley entonces prescribe lo siguiente. Dicha alma no será *d*
plantada en ninguna naturaleza animal en la primera
generación, sino que aquélla que haya visto más lo será
en el feto de un varón que haya de ser amante de la
sabiduría, o de la belleza, un cultivador de las Musas, o
del amor; la que sigue en segundo lugar en el de un rey
obediente a las leyes, o belicoso y con dotes de mando;
la que ocupa el tercero en el de un político, un buen
administrador de su hacienda, o un negociante; la del
cuarto en el de un hombre amante de la fatiga corporal, un maestro de gimnasia, o un perito en la cura del
cuerpo; la quinta habrá de tener una vida consagrada
a la adivinación o a algún rito iniciatorio. A la sexta
le irá bien la vida de un poeta, o la de cualquier otro *e*
dedicado al arte de la imitación; a la séptima la de un
artesano, o labrador; a la octava la de un sofista, o un
demagogo; a la novena la de un tirano.

En todas estas encarnaciones, el que haya llevado
una vida justa, alcanza un destino mejor, el que haya
vivido en la injusticia uno peor. Pues al mismo punto de donde ha venido no llega ningún alma antes de

diez mil años –ya que no le salen alas antes de dicho
249 plazo–, con excepción del alma del que ha filosofa-
do sin engaño, o amado a los mancebos con filosofía.
Éstas, si en la tercera revolución de un milenio han
escogido por tres veces consecutivas dicho género de
vida, adquiriendo de ese modo alas, al cumplirse el
último año del tercer milenio se retiran. Las demás,
cuando han terminado su primera vida, son sometidas
a juicio, y una vez juzgadas van las unas a los penales
que hay bajo tierra, donde cumplen su condena, y a
las otras las eleva la justicia a un lugar del cielo, donde
b llevan una vida en consonancia con el merecimiento
de la que llevaron en la apariencia humana. Al trans-
currir un milenio, llegadas unas y otras al momento
del sorteo y elección de la segunda vida, escoge cada
una el tipo de vida que quiere. Es entonces cuando un
alma que ha estado en un cuerpo humano encarna en
uno animal, o cuando el que un día fue hombre, aban-
donando la forma animal, vuelve de nuevo a hombre.
Pues no llegará a esta forma el alma que nunca ha visto
la Verdad, ya que el hombre debe realizar las operaciones del intelecto según lo que se llama idea[53], pro-
cediendo de la multiplicidad de percepciones a una
c representación única que es un compendio llevado a
cabo por el pensamiento. Y esta representación es una
reminiscencia de aquellas realidades que vio antaño
nuestra alma, mientras acompañaba en su camino a la
divinidad, miraba desde arriba las cosas que ahora decimos que "son" y levantaba la cabeza para ver lo que

"es" en realidad. Por ello precisamente es la mente del filósofo la única que con justicia adquiere alas, ya que en la medida de sus fuerzas está siempre apegada en su recuerdo a aquellas realidades, cuya proximidad confiere carácter divino a la divinidad. Y de ahí también que el hombre que haga el debido uso de tales medios de recuerdo sea el único que, por estar siempre iniciándose en misterios perfectos, se haga realmente perfecto. Saliéndose siempre fuera de los humanos *d* afanes y poniéndose en estrecho contacto con lo divino, es este hombre reprendido por el vulgo como si fuera un perturbado, mas al vulgo le pasa inadvertido que está poseído por la divinidad.

Pues bien, llegada a este punto, la totalidad de la exposición versa sobre la cuarta forma de locura —esa locura que se produce cuando alguien, contemplando la belleza de este mundo, y acordándose de la verdadera, adquiere alas, y de nuevo con ellas anhela remontar el vuelo hacia lo alto; y al no poder, mirando hacia arriba a la manera de un pájaro, desprecia las cosas de abajo, dando con ello lugar a que le tachen de loco— y aquí se ha de decir que es ése el más excelso de todos los estados de rapto, y el causado por las cosas más excelsas, tanto para el que lo tiene como para el que de él participa; y que asimismo es por tener algo de esa *e* locura por lo que el amante de los bellos mancebos se llama enamorado. Pues, según se ha dicho, toda alma humana por condición de su naturaleza ha contemplado las verdaderas realidades de las cosas, ya que, de

no ser así, no hubiera encarnado en este ser viviente.
250 Ahora bien, el acordarse por las cosas de este mundo
de aquellas otras no es algo fácil para la totalidad de
las almas; no lo es para cuantas vieron entonces por
corto espacio de tiempo las realidades de allí; ni tampoco para cuantas tuvieron la mala fortuna en su caída
a este mundo de ser desviadas por ciertas compañías
hacia lo injusto, llegando a olvidarse así de los santos
espectáculos que habían visto en su día. Por ello son
pocas las que quedan con suficiente poder evocador.
Y éstas, cuando ven algo que ofrece semejanza con los
objetos de allí, quedan fuera de sí, y ya no son dueñas
de sí mismas; pero desconocen lo que les ocurre por la
insuficiencia de sus percepciones. Pues en las réplicas
b terrenales tanto de la justicia como de la templanza, y
de cuantas otras cosas son apreciadas por las almas no
hay ningún resplandor. Y no es sino a duras penas, por
medio de órganos confusos, como únicamente unos
pocos, yendo a las imágenes de aquéllas, contemplan
los rasgos genéricos de lo reproducido. Fue posible ver
la Belleza en todo su esplendor en aquella época en
que en compañía de un coro feliz teníamos ante la vista un beatífico espectáculo, mientras íbamos, nosotros
en el séquito de Zeus, y los demás en el de los restantes
dioses; éramos entonces iniciados en el que es lícito
c llamar el más bienaventurado de los misterios, que ce-
lebrábamos íntegros y sin haber sufrido ninguno de
los males que nos aguardaban en un tiempo posterior.
Íntegras también, y simples, y serenas y felices eran las

visiones que en el último grado de nuestra iniciación contemplábamos en su puro resplandor, puros y sin la señal de ese sepulcro[54] que ahora llevamos a nuestro alrededor y llamamos cuerpo, estando en él encarcelados como la ostra en su concha.

Quede esto como tributo rendido al recuerdo, que, infundiéndonos la añoranza de las cosas de antaño, ha sido ahora la causa de que nos hayamos extendido demasiado. Volvamos a la Belleza; según dijimos, estaba *d* resplandeciente entre aquellas visiones, y al llegar a este mundo la aprehendemos por medio del más claro de nuestros sentidos, puesto que brilla con suma claridad. La vista, en efecto, es la más penetrante de las percepciones que nos llegan a través del cuerpo, pero con ella no se ve la sabiduría. De lo contrario, nos procuraría terribles amores, si diera aquélla una imagen de sí misma de semejante claridad que llegara a nuestra vista. Y lo mismo ocurriría con cuantas otras realidades hay dignas de amarse. Pero el caso es que únicamente la belleza tuvo esa suerte, de tal modo que es la más manifiesta y la más amable de todas ellas. Pues bien, quien no es un iniciado reciente o quien *e* está corrompido no se deja transportar prontamente de aquí a allá, junto a la Belleza en sí, cuando contempla lo que en este mundo recibe el nombre de aquélla; de suerte que, al poner en ello su mirada, no experimenta un sentimiento de veneración. Por el contrario, entregándose al placer, intenta cubrir a la manera de un cuadrúpedo y engendrar hijos, y por estar sumido

en el libertinaje no siente temor ni vergüenza al perse-
251 guir un placer contrario a la naturaleza. En cambio, el
que acaba de ser iniciado, el que contempló muchas
de las realidades de entonces, cuando divisa un rostro divino que es una buena imitación de la Belleza,
o bien la hermosura de un cuerpo, siente en primer
lugar un escalofrío, y es invadido por uno de sus es-
pantos de antaño. Luego, al contemplarlo, lo reve-
rencia como a una divinidad, y si no temiera dar la
impresión de vehemente locura, haría sacrificios a su
amado como si fuera la imagen de un dios. Y después
de verlo, como ocurre a continuación del escalofrío,
 b se opera en él un cambio que le produce un sudor y
un acaloramiento inusitado. Pues se calienta al recibir por medio de los ojos la emanación de la belleza
con la que se reanima la germinación del plumaje. Y
una vez calentado, se derriten los bordes de los brotes
de las plumas que, cerrados hasta entonces por efecto
de su endurecimiento, impedían que aquellos crecie-
ran. Mas al derramarse sobre ellos su alimento, la caña
del ala se hincha y se pone a crecer desde su raíz por
 c debajo de todo el contorno del alma; pues toda ella
era antaño alada. Y en este proceso bulle y borbota
en su totalidad, y esos síntomas que muestran los que
están echando los dientes cuando éstos están a punto
de salir, ese prurito y esa irritación en torno de las en-
cías, los ofrece exactamente iguales el alma de quien
está empezando a echar las alas. Bulle, está inquieta y
siente cosquilleos en el momento en que le salen las

plumas. Ahora bien, siempre que pone su vista en la belleza del amado, al recoger de él unas partículas que vienen a ella en forma de corriente –y por eso precisamente se les da el nombre de "flujo de pasión"–, se *d* reanima y calienta, se alivia de sus penas y se alegra. Pero, cuando queda separada y se seca, secándose con ella los agujeros de salida por donde surge el plumaje, se cierran e impiden el paso a los brotes de las alas. Quedan éstos encerrados dentro juntamente con el "flujo de pasión", brincan como un pulso febril, y golpea cada uno el orificio que tiene frente a sí; de tal manera que, aguijoneada el alma en todo su contorno, se excita como picada del tábano y sufre, en tanto que, al acordarse de aquel bello mancebo, de nuevo se regocija. Y como consecuencia de la mezcla de estos sentimientos se angustia por lo insólito de su situación; y en su perplejidad se pone rabiosa, y en este frenesí *e* ni puede dormir de noche, ni quedarse quieta donde está de día, impulsándole su añoranza a correr adonde cree que ha de ver a quien posee la belleza. Y cuando lo ha visto, y ha canalizado hacia sí el "flujo de pasión", abre lo que hasta entonces estaba obstruido, recobra el aliento, cesa en sus picaduras y dolores, y recoge en ese momento el fruto de un placer que es el más dulce de todos. Por eso precisamente no consiente de buen *252* grado en ser abandonada, ni pone a nadie por encima del bello mancebo. Antes bien, se olvida de madre, hermanos y compañeros, de todos; nada le importa la pérdida por descuido de su hacienda; y en cuanto a

los convencionalismos y buenas maneras que anteriormente tenía a gala, los desprecia en su totalidad, dis-
puesta como está a ser esclava y a acostarse donde más
cerca se le permita hacerlo del objeto de su añoranza.
Pues, aparte del sentimiento de veneración que lo ins-
pira, ha encontrado en el que posee la belleza al único
b médico de sus mayores sufrimientos. Y a este estado,
oh bello muchacho a quien va dirigido mi discurso,
le dan los hombres el nombre de amor, pero si oyes el
que le dan los dioses es natural que te rías por su rare-
za. Recitan algunos dos versos, procedentes, creo yo,
del caudal épico de los homéridas, dirigidos al Amor,
de los cuales el segundo es sumamente licencioso y no
está muy de acuerdo con la métrica. Dicen así:

*"Llaman, por cierto, a Eros alado los mortales,
los inmortales Pteros, porque fuerza a criar alas"*[55].

Puedes darles crédito, y puedes no dárselo. Sin em-
c bargo, la causa de que les pase, y lo que les pasa a los
enamorados, es precisamente eso que se ha dicho.
Pues bien, aquel de los compañeros de Zeus que se
ha dejado coger puede soportar con mayor firmeza el
fardo del dios que ha recibido su nombre de las alas.
Pero cuantos eran servidores de Ares y con aquél da-
ban la vuelta a los cielos, cuando son conquistados por
el amor y creen que han recibido algún agravio de su
amado, se vuelven sanguinarios y están dispuestos a
d inmolarse a sí mismos y a aquellos. Y así, conforme al

modo de ser del dios a cuyo coro haya pertenecido, cada cual vive honrándolo e imitándolo en lo posible, mientras no se haya corrompido su naturaleza y esté viviendo la primera generación en este mundo. Y de esa manera se comporta en su trato y relaciones con los amados y los demás. Así, pues, cada uno escoge su amor entre los bellos mancebos de acuerdo con su modo de ser, y como si éste fuera una divinidad se forja de él, por decirlo así, una imagen que adorna, dispues- *e* to a rendirle honores y culto divinos. En consecuencia, los que pertenecían al cortejo de Zeus buscan como su amado a uno que por su alma haya pertenecido también al cortejo de Zeus. Observan si hay alguien que por naturaleza sea amante de la sabiduría o dotado para el mando, y cuando, tras encontrarlo, se enamoran de él, ponen todo lo que está de su parte para que llegue a ser tal como exige su naturaleza. Y aunque antes no se hayan metido en esta ocupación, al poner entonces manos a la obra, aprenden de dondequiera que puedan recibir una enseñanza, realizando ellos también por cuenta propia indagaciones. Y en este su rastreo se encuentran con abundancia de medios para descubrir por sí mismos la naturaleza de su propio dios, por el estar obligados a poner su vista en él continuamente. *253* Alcanzándolo con el recuerdo y poseídos por él, de él toman sus costumbres y sus ocupaciones, en lo que es posible que un hombre pueda participar de la divinidad. Pero precisamente estos efectos se los imputan a su amado, y por ello le aman todavía más. Y derramando sobre el alma del amado el cántaro que llenan, como las bacantes, en la fuente de Zeus, le hacen en el mayor grado posible semejante a su propio dios. A su *b* vez, cuantos seguían a Hera buscan a un hombre con dotes de rey, y al encontrarlo hacen con respecto a él lo mismo. Los que pertenecían a Apolo y a los demás dioses, yendo cada uno en pos de su propia divinidad, buscan que su amado sea así por naturaleza. Y cuando lo tienen, con su propia imitación de la divinidad, con sus consejos persuasivos, y con su dirección conducen a sus amados al tipo de ocupación y manera de ser que son propias de aquel dios. Y lo hacen así en la medida de sus fuerzas, sin sentir envidia ni malevolencia impropia de hombres libres con respecto a su amado, tratando de llevarle lo mejor que pueden a una completa y total semejanza consigo mismos y con el dios a quien *c* rinden culto. Tan bello, pues, y tan feliz resulta para el amado el interés de los que verdaderamente lo aman – al menos si consiguen el objeto de su interés del modo que digo– y el recibir la iniciación de quien está enloquecido por causa del amor, si es conquistado. Y el que es conquistado lo es de la siguiente manera:

Al principio de esta narración dividimos cada alma en tres partes, dos de ellas que tenían la forma de caballo, y una tercera que tenía la de auriga. Manten*d* gamos ahora también esta división. Pues bien, de los caballos, decimos, uno es bueno y el otro no. Pero cuál es la excelencia del bueno y el defecto del malo es algo que no expusimos y que ahora debe decirse.

Aquel de los dos que está en el lugar de preferencia es erguido de porte, de proporcionados miembros, cerviz alta, nariz corva, blanco de aspecto y de ojos negros; amante del honor con moderación y respeto, compañero de la verdadera gloria, sin necesidad de golpes se deja conducir con sólo la voz de mando. El *e* otro, en cambio, es contrahecho, grande, constituido de cualquier manera, de cuello robusto y corto, chato, de piel negra, ojos grises y naturaleza sanguínea; compañero del desenfreno y la fanfarronería, con espesas crines en torno de las orejas, y sordo, a duras penas obedece al látigo y a los aguijones. En consecuencia, siempre que el cochero, al ver la persona que despierta su amor, siente ante esta percepción un calor por toda su alma, y se llena del cosquilleo y las picaduras de la añoranza, aquel corcel obediente al auriga, do- *254* minado entonces como siempre por el respeto, se contiene para no saltar sobre el amado. Pero el otro, que ya no hace caso ni de los aguijones ni del látigo del auriga, se lanza saltando impetuosamente; y poniendo a su compañero de tiro y al cochero en toda clase de apuros, los obliga a ir junto al amado y a hacerle mención de los deleites del amor. Al principio se oponen ambos encolerizados, como si fueran obligados a una acción terrible y criminal. Pero al fin, cuando ya el mal no tiene barrera, se encaminan, dejándose guiar, ce- *b* diendo, y conviniendo hacer aquello a lo que se les invita. Y llegan junto al amado y ven el radiante espectáculo que ofrece. Al divisarlo el cochero, su recuerdo se transporta a la naturaleza de la belleza, y la ve de nuevo estar con la moderación en un santo pedestal. Al verla se llena de temor, y dominado de un religioso respeto cae de espaldas, quedando a la vez forzado a tirar de las riendas hacia atrás con tanta violencia que hace sentarse a ambos caballos sobre sus grupas, el uno, de buen grado, por no oponer resistencia, y el

c indómito muy contra su voluntad. Una vez que se han retirado a cierta distancia, el buen caballo, por su vergüenza y sobresalto, empapa de sudor a toda el alma; el otro, calmado el dolor que le produjo el freno y la caída y recobrado apenas el aliento, prorrumpe en injurias colérico, haciendo mil reproches al auriga y a su compañero de tiro, como si hubieran abandonado por cobardía y falta de virilidad su puesto y el convenio. Y

d presionándolos de nuevo para acercarse en contra de su deseo, a duras penas les concede ante sus súplicas dejar la tentativa para más adelante. Pero una vez transcurrido el plazo señalado, como finjan ambos no acordarse de su promesa, se la recuerda, y ejerciendo sobre ellos violencia, entre relinchos y tirones, los obliga de nuevo a acercarse al amado para hacerle las mismas proposiciones. Y una vez que se han acercado, agachando la cabeza, estirando la cola y mordiendo el

e freno, tira de ellos con desvergüenza. Mas el cochero, que aún más que antes experimenta el mismo sentimiento, cae hacia atrás como un corredor ante la barrera de salida, y con fuerza aún mayor tira del freno del caballo indómito; sácaselo hacia atrás fuera de los dientes, llena de sangre su boca malhablada y sus mandíbulas, y haciéndole apoyar sus patas y sus grupas en tierra se las "entrega a los dolores"[56]. Así, cuando ha padecido lo mismo el mal caballo muchas veces y cesa en su rebeldía, humillado, obedece ya a los propósitos del auriga, y siempre que divisó al bello mancebo se muere de miedo. De suerte que ocurre ya entonces que el alma del amante sigue a su amado con un sentimiento de respeto y de temor. Así que, como recibe 255 éste toda clase de cuidados, cual si fuera semejante a un dios, por parte de un amante que no es fingido, sino que siente el amor verdaderamente; y como asimismo él es por propia naturaleza amigo de su admirador, aunque anteriormente hubiera sido censurado por sus condiscípulos u otros cualesquiera, que le dijeran que era un deshonor acercarse a un amante, y por esta razón le hubiera rechazado; entonces ya, con el paso del tiempo, es impulsado no sólo por su edad, sino también por su conveniencia a aceptar al amante en su compañía. Pues no es cierto que el destino *b* haya fijado que el malvado sea amigo del malvado, ni que el bueno no sea amigo del bueno. Y una vez que lo ha admitido y acogido favorablemente su conversación y su trato, la benevolencia del amante al mostrarse de cerca deja perplejo al amado, quien se percata de que la porción de amistad que todos sus demás amigos y familiares juntos le ofrecen no es nada en absoluto en comparación con un amigo poseído por un dios. Así, cuando haya pasado el tiempo haciendo esto, y adquirido intimidad con el amante con los contactos en los gimnasios, y en los demás lugares de reunión, enton-

c ces ya la fuente de aquella corriente, a la que Zeus enamorado de Ganimedes diera el nombre de "flujo de pasión", lanzándose a torrentes en el amante, en parte se hunde en él, y en parte, una vez lleno y rebosante, se derrama de él al exterior. Y de la misma manera que el viento o el eco, rebotando de una superficie lisa y dura, vuelve otra vez al punto de donde había partido, la corriente de la belleza llega de nuevo al bello mancebo a través de los ojos, el conducto por donde es natural que se encamine hasta el alma; y excitándola vivifica los orificios de las alas, y los impulsa a criar plu-

d mas, llenando a su vez de amor el alma del amado. Queda éste entonces enamorado, pero ignora de qué, y no sabe qué es lo que le pasa, ni puede explicarlo. Antes bien, como si se hubiera contagiado de una oftalmía de otro, no puede dar razón de su estado, y le pasa inadvertido que se está mirando en el amante como en un espejo. Cuando éste está presente, se le acaban sus cuitas de la misma manera que a aquél, y cuando está ausente, de la misma manera le añora que

e él es añorado, pues tiene como imagen del amor un "contra–amor". Pero no cree que sea amor, sino amistad, y así lo llama. Y su deseo de ver, de tocar, de besar, de yacer con el amante es semejante al que éste experimenta, aunque más débil. Por ello, como es natural, este deseo hace que se llegue rápidamente a las consecuencias que le siguen. Pues mientras yacen jun-

tos, el caballo desenfrenado del amante sabe qué debe
decir al auriga, y pretende, como recompensa de muchas fatigas, el disfrutar un poco. El amado, en cam- 256
bio, no sabe decir nada, pero, turgente de deseo como
está y lleno de perplejidad, abraza al amante y lo besa,
como si mostrara su cariño a uno que muy bien lo
quiere; y cuando comparten el mismo lecho está en
situación de no negarle, por su parte, su favor al amante, si éste solicitara el obtenerlo. A su vez, el compañero de tiro con el auriga se oponen a esto con su sentido
del respeto y su capacidad de reflexión. De ahí precisamente que, si se imponen las partes mejores de la mente conduciéndoles a un régimen ordenado de vida y al b
amor de la sabiduría, pasen ambos la vida de aquí en la
felicidad y en la compenetración espiritual, dueños de
sí mismos y moderados, tras haber dominado aquella
parte del alma en la que está innato el vicio y liberado
aquella otra en la que está innata la virtud. Y de ahí
que al término de sus vidas, transformados en seres
alados y ligeros, hayan vencido el primero de los tres
asaltos de esta lucha verdaderamente olímpica, un
bien que no tiene parejo entre los que pueden procurarle al hombre tanto la humana cordura como la locura divina. Por el contrario, si escogen un régimen de c
vida más vulgar y sin amor de la sabiduría, aunque sí
con amor de los honores, es muy probable que en alguna ocasión, bien sea en las borracheras o en algún
otro momento de descuido, los dos corceles desenfre-
nados de ambos, cogiendo desprevenidas sus almas,

las lleven juntamente al mismo fin, eligiendo así y consumando aquello que para el vulgo es lo que procura mayor felicidad. Y una vez que han consumado el acto, en adelante ya usan de él, por más que no sea con frecuencia, puesto que hacen algo que no le parece bien a la totalidad de la mente. Los miembros de esta pareja, sin duda alguna, pasan también su vida en mutua amistad, aunque menos que los de aquella otra, tanto

d mientras dura su amor como cuando ha terminado, por considerar que se han dado y recibido mutuamente las mayores garantías de lealtad, que no es lícito violar jamás para entrar en enemistad. Así, al final de su vida salen de su cuerpo, sin alas, es cierto, pero habiendo deseado vivamente el tenerlas, de modo que no es pequeña la recompensa que se llevan de su amorosa locura. Pues no prescribe la ley que vuelven a las tinieblas del viaje subterráneo quienes han comenzado su viaje bajo el cielo, sino que sean felices llevando una vida de claridad, haciendo su camino juntamente,

e y recibiendo ambos a causa de su amor iguales alas, cuando les llegue el momento de tenerlas.

Tantos son, muchacho, y tan divinos los dones que te otorgará la amistad del enamorado. La familiaridad, en cambio, con el no–enamorado, mezclada de humana cordura, dispensadora de bienes humanos y mezquinos, y que produce en el alma del amigo una disposición impropia de hombres libres, encomiada por

257 la masa como virtud, la hará ir y venir alrededor y bajo tierra nueve millares de años privada de razón".

Aquí tienes, oh querido Amor, la más bella y mejor palinodia que hemos podido ofrecerte en desagravio, y que entre otras cosas ha sido obligada a pronunciarse con ciertos términos poéticos a causa de Fedro. Ea, pues, concediendo tu perdón a mis palabras anteriores y tu favor a éstas, benevolente y propicio, no me quites, ni mutiles en un momento de cólera el arte amatoria que me otorgaste, y concédeme aún más que ahora el ser estimado entre los bellos mancebos. Y si ante- *b* riormente dijimos Fedro y yo en nuestras palabras algo duro para ti, echando la culpa de ello a Lisias, el padre de la discusión, apártale de discursos semejantes, y dirígele, como se ha dirigido su hermano Polemarco, a la filosofía, a fin de que también este su amante no nade más, como ahora, entre dos aguas, y dedique de una vez su vida a ocuparse del Amor con discursos filosóficos.

FEDRO.– Uno a la tuya, Sócrates, mi súplica de que, si eso es mejor para nosotros, se cumpla. Pero en lo que *c* respecta a tu discurso, desde hace rato estoy dominado por el asombro de cuánto más bello que el anterior lo conseguiste. De suerte que temo que Lisias se me vaya a mostrar mediocre en caso de que quiera oponerle otro. Pues, además, el otro día, oh hombre admirable, un político le reprendió y reprochó por su ocupación precisamente, calificándole a lo largo de toda su reprimenda de "escribe–discursos". Así que tal vez por amor a su reputación se nos abstenga de escribir.

SÓCRATES.– Ridícula, joven, es la decisión que dices,

d y te equivocas grandemente sobre tu amigo, si le tiene por hombre tan temeroso del reproche. Y tal vez crees también que su reprensor decía en tono de censura lo que decía.

Fedro.– Pues lo aparentaba, Sócrates. Y tú también sabes que los que gozan de mayor influencia y respeto en las ciudades se abstienen por vergüenza de escribir discursos y de dejar obras debidas a su pluma, temiendo por su reputación en la posteridad, no sea que vayan a ser llamados sofistas.

Sócrates.– Eso es un "dulce recodo"[57], Fedro, y te ha pasado inadvertido que la expresión viene del largo recodo en el Nilo. Y además de lo del recodo, se te

e escapa el hecho de que son los políticos más pagados de sí mismos quienes con más ardor desean el escribir discursos y dejar escritos, pues siempre que escriben un discurso, tanto se complacen con sus panegiristas, que añaden en cláusula adicional y en primer lugar los nombres de los que en cada caso los alaban.

Fedro.– ¿Qué quieres decir con esto? No lo comprendo.

Sócrates.– ¿No te das cuenta de que al comienzo del
258 escrito de un político lo que está escrito primero es el nombre del ensalzador?

Fedro.– ¿Cómo?

Sócrates.– "Le pareció bien al Consejo", o "al Pueblo", o a ambos, viene a decir el autor, y añade: "Fulano presentó la propuesta", refiriéndose a sí mismo con gran solemnidad y elogio de su persona; luego expone lo que viene a continuación, demostrando su propia sabiduría a sus aprobadores, y haciendo con ello a veces el escrito sumamente largo. ¿Acaso te parece a ti que semejante composición difiere de un discurso redactado? *b*

FEDRO.– A mí, no.

SÓCRATES.– Pues bien, en el caso de que ese discurso–propuesta tenga éxito, su autor se marcha del estrado lleno de alegría. En cambio, si aquélla es borrada de la orden del día, y éste queda frustrado en su capacidad de escritor de discursos, y no es tenido por digno de redactar una propuesta, se duelen tanto él como sus amigos.

FEDRO.– Y mucho.

SÓCRATES.– Evidentemente, no por desprecio de la profesión, sino por admiración.

FEDRO.– Exacto.

SÓCRATES.– ¿Y qué? Cuando un orador o un rey, habiendo tomado el poder de un Licurgo, de un Solón *c* o de un Darío, queda capacitado para llegar a ser un escritor de discursos inmortal en su ciudad, ¿no se considera a sí mismo como un ser semejante a los dioses, cuando aún está con vida, y no tiene la posteridad la misma opinión sobre él, cuando contempla sus escritos?

FEDRO.– Sin duda alguna.

SÓCRATES.– ¿Crees entonces que un hombre de esa índole, cualquiera que fuera él y el motivo de su animosidad contra Lisias, le reprocharía el mero hecho de escribir?

FEDRO.– No es probable, de atenerse a lo que dices. Pues sería su propia aspiración lo que, al parecer, vituperaría.

SÓCRATES.– Luego es algo evidente para todo el mundo, que no es vergonzoso el hecho en sí de escribir discursos.

FEDRO.– En efecto.

SÓCRATES.– Pero esto otro, creo yo, ya sí lo es: el no hablar ni escribir bien, sino mal y de una manera vergonzosa.

FEDRO.– Evidentemente.

SÓCRATES.– ¿Cuál es entonces la manera de escribir bien o no? ¿Sentimos alguna necesidad, Fedro, de interrogar a Lisias sobre esta cuestión, o a cualquier otro que haya escrito alguna vez o vaya a escribir una obra sobre asunto político o privado, bien en verso como poeta, bien sin él como prosista?

FEDRO.– ¿Preguntas si sentimos esa necesidad? Y ¿por qué otro motivo se habría de vivir, por decirlo así, sino por placeres semejantes? Pues, sin duda, no será por aquellos otros que exigen sufrir de antemano, so pena de no sentir gozo alguno; lo que precisamente entrañan casi todos los placeres corporales, y ha hecho que con razón se les haya dado el nombre de serviles.

SÓCRATES.–Así, pues, tenemos tiempo, al parecer. Y me da la impresión de que las cigarras a la vez que cantan por encima de nuestras cabezas y conversan entre ellas, como suelen hacer en pleno ardor del sol, nos

están contemplando. Así que, si nos vieran a nosotros 259
dos, como a la generalidad de los hombres a mediodía,
sin conversar, y dando cabezadas, cediendo e su hechi-
zo por pereza mental, se reirían de nosotros con razón, en la idea de que habían llegado a este retiro unos
esclavos a echarse la siesta, como corderos, a orillas de
la fuente. En cambio, si nos ven conversar y costearlas,
como si fueran las sirenas, insensibles a su embrujo, tal
vez nos concederían admiradas el don que por privile- *b*
gio de los dioses pueden otorgar a los hombres.

FEDRO.– ¿Y cuál es ese don que pueden conceder?
Pues, según parece, nunca he oído hablar de él.

SÓCRATES.– Pues es ciertamente impropio de un hombre amante de las musas el no haber oído hablar de
tales cosas. Se dice que estos animalillos fueron antaño
hombres de los que hubo antes de que nacieran las
musas; y que, al nacer éstas y aparecer el canto, quedaron algunos de ellos tan transportados de placer, que
cantando, cantando, se descuidaron de comer y de be- *c*
ber, y murieron sin advertirlo. De éstos nació después
la raza de las cigarras que recibió como don de las musas el de no necesitar alimento; el de cantar, desde el
momento en que nacen hasta que mueren, sin comer
ni beber; y el de ir después de su muerte a notificarles
cuál de los hombres de este mundo les rinde culto,
y a cuál de ellas. Así, pues, a Terpsícore la ponen en
conocimiento de los que la honran en las danzas, ha-
ciéndolos así más gratos a sus ojos; a Erato le notifican
los que la honran en las cuestiones de amor; y hacen lo *d*

mismo con las demás, según el tipo de honor de cada una. Pero es a la mayor en edad, Calíope, y a Urania, que la sigue, a quienes dan noticia de los que pasan su vida entregados a la filosofía, y cultivan el género de música que ellas presiden. Y éstas precisamente, por ser entre las musas las que se ocupan del cielo y de los discursos divinos y humanos, son las que emiten la más bella voz. De ahí que por muchas razones debamos hablar en vez de dormir al mediodía.

FEDRO.– Desde luego, debemos hablar.

SÓCRATES.– En ese caso lo que debemos hacer es ocu-
e parnos de la cuestión cuyo examen propusimos hace un momento, a saber, la de cómo un discurso oral o escrito queda bien y cómo no.

FEDRO.– Evidentemente.

SÓCRATES.– ¿Y no es un requisito necesario para los discursos que han de pronunciarse bien y de una forma bella el que la mente del orador conozca la verdad de aquello sobre lo que se dispone a hablar?

FEDRO.– Sobre eso, amigo Sócrates, he oído decir lo siguiente: a quien va a ser orador no le es necesario
260 aprender lo que es justo en realidad, sino lo que podría parecerlo a la multitud, que es precisamente quien va a juzgar; ni tampoco las cosas que son en realidad buenas o malas, sino aquéllas que lo han de parecer. Pues de estas verosimilitudes procede la persuasión y no de la verdad.

SÓCRATES.–No debe ser "palabra desdeñable"[58], Fedro, lo que digan los sabios. Lo que hay que hacer es examinar si dicen algo de peso. De ahí que lo dicho ahora no se haya de pasar por alto.

FEDRO.– Dices bien.

SÓCRATES.– Examinémoslo entonces de esta manera.

FEDRO.– ¿Cómo?

SÓCRATES.– Si yo tratara de convencerte de que com- *b* praras un caballo para defenderte contra los enemigos en la guerra, y ambos desconociéramos lo que es un caballo, y yo tan sólo supiera con respecto a ti que Fedro tiene por caballo a aquel animal doméstico que tiene más grandes las orejas...

FEDRO.– Sería ridículo, Sócrates.

SÓCRATES.– En ese caso aún no, pero sí cuando tratara de persuadirte con ardor, componiendo un discurso en alabanza del asno, dándole el nombre de caballo[59], y asegurando que el bruto en cuestión es una posesión de inapreciable valor, tanto en casa, como en campaña, no sólo por su utilidad para combatir sobre él, sino también por su capacidad para el transporte de cargas, *c* y por sus otras muchas aplicaciones.

FEDRO.– En tal caso sería ya ridículo a más no poder.

SÓCRATES.– ¿Y no es mejor que el engaño sea ridículo y amistoso que temible y mal intencionado?

FEDRO.– Evidentemente.

SÓCRATES.– Pues bien, cuando el hombre que domina la retórica y desconoce el bien y el mal, habiéndoselas con una ciudad que se encuentra en la misma situación, trata de persuadirla, no sobre "la sombra de un asno"[60], haciendo su alabanza como si fuera un ca-

ballo, sino sobre lo que es malo como si fuera bueno, y por haber estudiado las opiniones de la masa la logra convencer a hacer el mal en lugar del bien, ¿qué clase de fruto crees que después de esto recogería la retóri-
d ca de lo que había sembrado?

FEDRO.– No muy bueno.

SÓCRATES.– ¿Pero acaso, mi buen amigo, no hemos vituperado con más rudeza que la debida al arte de los discursos? Ella tal vez nos podría decir: "¿Qué majaderías, hombres admirables, son esas que estáis diciendo? Yo no obligo a nadie a aprender a hablar ignorando la verdad. Por el contrario, si de algo vale, mi consejo es que la adquiera antes de hacerse conmigo. Pero he aquí la importante afirmación que hago: sin mi concurso el conocedor de las realidades de las cosas no conseguirá en absoluto llegar a persuadir con arte."

e FEDRO.– ¿Y no hablará con justicia al decir esto?

SÓCRATES.– Sí, en el caso de que los argumentos que acudan en su auxilio atestigüen que es un arte. Pues me da la sensación como de oír a ciertos argumentos que se lanzan contra ella presentando el testimonio contrario, a saber, el de que miente y no es un arte, sino una rutina ajena por completo al arte. "Y un arte verdadero de la palabra –dice el Lacedemonio[61]– que no esté ligada a la verdad ni existe, ni habrá de existir jamás."

FEDRO.– Necesarios son esos argumentos, Sócrates.
261 Ea, condúcelos hasta aquí, y examina qué dicen y cómo se expresan.

Sócrates.– Presentaos, pues, nobles criaturas[62], y persuadid a Fedro, el de los bellos hijos, de que, a no ser que filosofe lo bastante, jamás llegará a ser lo bastante capaz de hablar sobre cuestión alguna. Ahora que responda Fedro.

Fedro.– Preguntad.

Sócrates– ¿No es tal vez, en su totalidad, el arte retórica una manera de seducir las almas por medio de palabras, tanto en los tribunales y demás reuniones públicas, como en las reuniones privadas? ¿No es una y la misma en las pequeñas y en las grandes cosas, y no *b* más estimable su empleo correcto en los asuntos serios que en los asuntos sin importancia? ¿O cómo has oído tú decir esto?

Fedro.– No, ¡por Zeus!, así desde luego no, sino, más o menos, que es principalmente en los juicios donde se habla y se escribe con arreglo a los dictados del arte, y que de acuerdo también con ellos se habla en las alocuciones públicas. Pero más de esto no he oído decir.

Sócrates.– Entonces, ¿es que sólo has oído hablar de las "Artes retóricas" de Néstor y Ulises, que compusieron ambos en sus ratos de ocio en Troya, y no de las de Palamedes?

Fedro.– No, ¡por Zeus!, ni tampoco de las de Néstor; *c* a no ser que me disfraces a Gorgias con los ropajes de un Néstor, o con los de un Trasímaco o Teodoro a Ulises.

Sócrates.– Tal vez. Pero dejemos a éstos, y dime: ¿qué hacen las partes litigantes en los tribunales? ¿No sostienen de hecho una controversia? O ¿qué hemos de decir?

FEDRO.– Eso mismo.

SÓCRATES.– ¿Sobre lo justo y lo injusto?

FEDRO.– Sí.

SÓCRATES.– Y el que hace esto con arte, ¿no hará aparecer la misma cosa y a las mismas personas a veces *d* justa y a veces, según su voluntad, injusta?

FEDRO.– En efecto.

SÓCRATES.– Y en una alocución pública ¿no hará que parezcan a la ciudad las mismas cosas a veces buenas, y a veces lo contrario?

FEDRO.– Así es.

SÓCRATES.– Y ahora, en lo que respecta al Palamedes de Elea[63], ¿no sabemos que hablaba con arte, de tal manera que le parecía a su auditorio que las mismas cosas eran semejantes y desemejantes, únicas y múltiples, y según los casos inmóviles o móviles?

FEDRO.– En efecto.

SÓCRATES.– Luego no son únicamente los tribunales y las alocuciones públicas sobre lo que se ejerce el arte de la controversia. Antes bien, según parece, hay solamente un arte, si es que lo hay, que se aplica a todo lo que se dice; y sería ésta la que puede conferir a un individuo la capacidad de hacer semejante a todo todas las cosas susceptibles de ello ante quienes se pudiera hacer esto, y asimismo la de sacar las cosas a la luz, cuando es otro el que realiza esta semejanza y ocultación.

FEDRO.– ¿Qué quieres decir con esto?

SÓCRATES.– Si lo indagamos de este modo, creo que se nos mostrará con claridad. ¿Dónde se da mayormente el engaño, en las cosas que difieren mucho, o en las que difieren poco?

FEDRO.– En las que difieren poco.

262

SÓCRATES.– De ahí entonces que se advierta menos que has llegado a lo contrario, si pasas de una cosa a otra poco a poco, y no a saltos.

FEDRO.– ¡Cómo no!

SÓCRATES.– Luego es preciso que quien se disponga a engañar a otro y a no ser él mismo engañado discierna con exactitud la semejanza y la desemejanza de las cosas.

FEDRO.– Ciertamente es necesario.

SÓCRATES.– ¿Y será capaz, desconociendo la verdad de cada cosa, de distinguir en las demás la semejanza, grande o pequeña, del objeto por él ignorado?

FEDRO.– Es imposible.

b

SÓCRATES.– Así, pues, en el caso de los que se forman opiniones en pugna con la realidad de las cosas y se equivocan, está claro que el error se ha insinuado en ellos en virtud de ciertas semejanzas.

FEDRO– En efecto, así se origina.

SÓCRATES.– Luego, ¿es posible de algún modo que posea la técnica de irse apartando gradualmente, por medio de semejanzas, de una realidad hasta llegar a su contrario, o de escapar personalmente de este engaño, aquel que no está en posesión del conocimiento de lo que es cada una de las realidades?

FEDRO.– Jamás será posible.

c   SÓCRATES.– Luego el arte de la palabra que ofrecerá, c compañero, quien no conozca la verdad, y haya andado a la caza de opiniones, será una ridicula, al parecer, y exenta de todas las perfecciones del arte.

FEDRO.– En tal riesgo incurre.

SÓCRATES.– ¿Quieres, pues, ver en el discurso de Lisias que traes y en los que pronunciamos nosotros algo de lo que decimos que está o no de acuerdo con las normas del arte?

FEDRO.– Sí, con sumo gusto, pues por ahora hablamos, por decirlo así, sin armas, al no tener suficientes ejemplos.

SÓCRATES.– Por cierto que fue una suerte, al parecer, el que se pronunciaran aquellos dos discursos, ya que
d   ofrecen ambos un ejemplo de cómo el conocedor de la verdad, jugando con las palabras, puede desviar del buen camino al auditorio. Y por mi parte, Fedro, echo la culpa de ello a los dioses del lugar, aunque tal vez sean los profetas de las Musas, es decir, esos cantores que tenemos encima de nuestras cabezas quienes nos hayan otorgado por inspiración ese don. Que desde luego yo no tengo ni arte ni parte en la oratoria[64].

FEDRO.– Sea como dices. Tan sólo aclara tu afirmación.

SÓCRATES.– Venga, pues, léeme el principio del discurso de Lisias.

e   FEDRO.– "Mi situación la conoces, y que estimo de

nuestra conveniencia el que esto se realice lo has oído tambien. Pero no por ello creo justo el no conseguir mi demanda, por el hecho precisamente de no estar enamorado de ti. Pues los enamorados se arrepienten..."

SÓCRATES.– Para. Ahora toca decir cuál es el yerro del orador y en qué atenta su composición contra el arte. ¿No es verdad?

FEDRO.– Sí.   *263*

SÓCRATES.– ¿Y no hay al menos algo que es obvio para todo el mundo? Me refiero a lo siguiente, a saber, al hecho de que sobre algunas de las cosas de esta índole estamos de común acuerdo, y en discrepancia sobre otras.

FEDRO.–Me parece entender lo que dices, pero repítelo con mayor claridad.

SÓCRATES.– Cuando alguien pronuncia el nombre del hierro o de la plata, ¿no nos representamos todos mentalmente el mismo objeto?

FEDRO.– Exacto.

SÓCRATES.– ¿Y qué ocurre cuando se dice el de lo justo o el de lo bueno? ¿No se va cada uno por su lado, y disentimos unos con otros, e incluso con nosotros mismos?

FEDRO.– Efectivamente.   *b*

SÓCRATES.– Luego en unos casos concordamos y, en otros, no.

FEDRO.– Así es.

SÓCRATES.– ¿Y en cuál de estos dos casos somos más

susceptibles de engaño, y en cuál de estos dos tipos de objetos tiene mayor poder la retórica?

FEDRO.– Es evidente que en aquellos que vacilamos.

SÓCRATES.– Así, pues, quien se disponga a ir en busca del arte retórica debe, en primer lugar, hacer una clasificación metódica de dichos objetos, y aprehender algo que caracterice a cada una de sus dos especies, tanto a aquélla en la que indefectiblemente vacila el vulgo, como a aquélla otra en la que no.

c   FEDRO.– Excelente método, Sócrates, habría ideado quien aprehende dicha diferencia.

SÓCRATES.– En segundo lugar, creo yo, al encontrarse ante cada objeto, no le debe pasar inadvertido, sino darse cuenta inmediatamente de a cuál de las dos especies pertenece aquello sobre lo que se disponga a hablar.

FEDRO.– En efecto.

SÓCRATES.– ¿Y qué? ¿Debemos decir que el amor es de las cosas que se prestan a discusión o de las que no?

FEDRO.– De las que se prestan a discusión sin duda. De lo contrario, ¿crees que te hubiera dado lugar a decir, como hace un momento dijiste, que es algo perjudicial para el amado y para el amante, y a sostener acto seguido que es el mayor de los bienes?

d   SÓCRATES.– Dices muy bien. Pero dime también esto pues yo ciertamente, debido a mi rapto de inspiración, no me acuerdo en absoluto–, ¿definí el amor al principio de mi discurso?

FEDRO.– Sí, por Zeus, y con enorme precisión.

SÓCRATES.– ¡Ay! ¡Cuánto más duchas en los discursos son, a tu decir, las Ninfas del Aqueloo y Pan, el hijo de Hermes, que Lisias, el hijo de Céfalo! ¿O estoy equivocado, y Lisias también nos obligó al principio de su "Erótico" a suponer el amor como un algo provisto *e* de la realidad que él quiso conferirle, y llevó a término el resto de su discurso, ordenándolo con arreglo a este concepto previo? ¿Quieres que leamos otra vez su comienzo?

FEDRO.– Sí, si a ti te parece. Pero lo que buscas no se encuentra en su discurso.

SÓCRATES.– Lee, para que lo oiga a él personalmente

FEDRO.– "Mi situación la conoces, y que estimo de nuestra conveniencia el que esto se realice lo has oído tambien. Pero no por ello creo justo el no conseguir *264* mi demanda, por el hecho precisamente de no estar enamorado de ti. Pues los enamorados se arrepienten de los beneficios que hacen, tan pronto como cesan en su deseo..".

SÓCRATES.– Ciertamente dista mucho, según parece, de hacer lo que buscamos. Pues intenta recorrer el discurso en sentido inverso, no desde el principio, sino desde el final, como si nadara a espalda, y comienza en el punto en que hablaría el amante a su amado al terminar ya. ¿Me equivoco acaso, Fedro, querido amigo?

FEDRO.– No cabe duda, Sócrates, es un final el tema *b* de su discurso.

SÓCRATES.– ¿Y qué decir de lo demás? ¿No dan la im-

presión de haberse tirado en revoltijo las partes de su
discurso? ¿Se ve acaso una necesidad que exija que lo
dicho en segundo lugar haya de colocarse en segundo
lugar, y no otra cosa cualquiera de las dichas? A mí, en
efecto, en mi total ignorancia, me pareció que el escritor decía, no sin cierto atrevimiento, lo que se le iba
ocurriendo. Pero ¿sabes tú de algún imperativo "logo-
gráfico" que le obligara a aquél a colocar así sucesivamente, unas al lado de otras, las partes de su discurso?

FEDRO.– ¡Bueno estás!, si crees que yo soy capaz de
penetrar tan agudamente en la intención de aquél.

c SÓCRATES.– Pero esto sí creo que puedes afirmarlo:
todo discurso debe tener una composición a la manera de un animal, con un cuerpo propio, de tal forma
que no carezca de cabeza ni de pies, y tenga una parte
central y extremidades, escritas de manera que se correspondan unas con otras y con el todo.

FEDRO.– ¡Cómo no!

SÓCRATES.– Examina, pues, el discurso de tu amigo a
ver si está escrito así o de otra manera, y encontrarás
que no difiere en nada del epigrama[65] que, al decir de
algunos, está inscrito en la tumba de Midas el Frigio.

FEDRO.– ¿Qué epigrama es ése, y qué le ocurre?

d SÓCRATES.– Helo aquí.

"De bronce doncella soy, y sobre la tumba de Midas yazgo,
en tanto que fluya agua, hayan árboles altos retoñado,
permaneciendo aquí mismo, sobre sepulcro tan llorado,
anunciaré a los que pasan que está aquí Midas enterrado."

Y que no importa en absoluto el que se recite cual- *e*
quiera de sus versos bien al principio, bien al final, es
algo de lo que, según creo, te percatas.

FEDRO.– Estás haciendo escarnio de nuestro discurso, Sócrates.

SÓCRATES.– Pues bien, dejémoslo estar, para que no
te amohines. No obstante, me parece que tiene un
montón de ejemplos que podrían ser de utilidad para
quien pusiera su vista en ellos, a condición de que no
intentara imitarlos en absoluto. Pero pasemos a los
otros discursos. Había algo en ellos, que, según me parece, es interesante que vean los que quieren hacer un
estudio de la oratoria.   *265*

FEDRO.– ¿Qué es ese algo de que hablas?

SÓCRATES.– Eran los dos en cierto sentido contradicto-
rios, puesto que decía el uno que había que otorgar
favor al enamorado, y el otro al no–enamorado.

FEDRO.– Y con gran valentía lo decía.

SÓCRATES.– Creía que ibas a decir la verdad, que con
locura. Pues, de hecho, lo que indagaban era eso mismo, ya que dijimos que el amor era una especie de
locura. ¿No es verdad?   *b*

FEDRO.– Sí.

SÓCRATES.–Y había dos especies de locura, una produ-
cida por enfermedades humanas, y otra por un cambio
de los valores habituales provocado por la divinidad.

FEDRO.– En efecto.

SÓCRATES.–Y en la locura divina distinguimos cuatro
partes que asignamos a cuatro dioses, atribuyendo a

Apolo la inspiración profética, a Dioniso la mística,
a las Musas a su vez la poética, y la cuarta, la locura
amorosa, que dijimos era la más excelsa, a Afrodita y a
Eros. Y tratando de describir la pasión amorosa no sé
con qué símiles, alcanzamos en parte tal vez la verdad;
en parte también nos perdimos por otros caminos;
amalgamamos un discurso que no es del todo increí-
c ble; y entonamos comedida y piadosamente un mítico
himno en honor y solaz de mi señor y el tuyo, Fedro, el
Amor, vigilante de los bellos mancebos.

FEDRO.–Y que no me fue en modo alguno desagradable de escuchar.

SÓCRATES.– Pues bien, captemos en él cómo pudo pasar del vituperio a la alabanza.

FEDRO.– ¿En qué sentido dices esto?

SÓCRATES.– Para mí es evidente que todo lo demás ha
sido verdaderamente un juego. Pero entre esas cosas
que por fortuna se dijeron había dos tipos de procedimiento, cuya significación para el arte retórica no
d sería desagradable captar si se pudiera.

FEDRO.– ¿Cuáles son, pues?

SÓCRATES.– El llevar con una visión de conjunto a
una sola forma lo que está diseminado en muchas partes, a fin de hacer claro con la definición de cada cosa
aquello sobre lo que en cada caso se pretende desarro-
llar una enseñanza. Precisamente tal y como hace un
momento se habló sobre el amor, habiéndose definido
mal o bien lo que realmente es. Pues, al menos, lo que
había de claridad y concordancia consigo mismo en el

discurso pudo éste conseguirlo por dicha razón.

FEDRO – ¿Y cuál es el otro procedimiento de que hablas, Sócrates? *e*

SÓCRATES.– El ser, inversamente, capaz de dividir en especies, según las articulaciones naturales, y no tratar de quebrantar parte alguna, a la manera de un mal carnicero, sino hacerlo como lo hicieron hace un momento los dos discursos. Cogieron éstos lo que había de locura en la mente, en común y como una sola forma; pero de la misma manera que en un solo cuerpo *266* hay dos series de miembros homónimos, que se llaman unos izquierdos y otros derechos, así también consideraron los dos razonamientos el caso de la locura; es decir, como si fuera en nosotros por naturaleza una única forma. Pero uno de ellos se dedicó a dividir la parte de la izquierda, y no desistió de ir haciendo nuevas divisiones, hasta el momento en que, encontrando en ellas un amor denominado "siniestro", lo vituperó muy en justicia. El otro, en cambio, conduciéndonos hacia las partes de la derecha de la locura, y encontrando a su vez un amor homónimo de aquél, pero divino, lo expuso a nuestras miradas, y lo alabó como el origen *b* de nuestros mayores bienes.

FEDRO.– Dices una gran verdad.

SÓCRATES.– Y naturalmente, Fedro, yo mismo soy un enamorado de esas divisiones y sinopsis, a fin de poder ser capaz de hablar y de pensar. Y si estimo que otro tiene la capacidad natural de ver en unidad y en multiplicidad, voy "en pos de sus huellas, como si fuera

un dios"[66]. Y ciertamente a los que pueden hacer eso, Dios sabe si les doy o no el nombre apropiado, pero hasta este momento los llamo "dialécticos". Pero aho-
c ra, una vez recibida la lección que tú y Lisias nos dais, dime cómo los debemos llamar. ¿O acaso es esto que he expuesto el arte oratoria, con cuyo uso Trasímaco y los demás se han hecho ellos diestros en hablar y hacen a cuantos otros estén dispuestos a aportarles sus ofrendas como a reyes?

FEDRO.– Hombres de categoría regia son sin duda, pero no conocedores del objeto al que alude tu pregunta. Ahora bien, en lo que respecta a ese método me parece que le das el nombre exacto al llamarlo "dialéctico". Con todo, me parece que el "retórico" aún se nos escapa.

d SÓCRATES.– ¿Cómo dices? ¿Puede haber algo de valía que, privado de estos requisitos, se adquiera, no obstante, por técnica? Bajo ningún concepto debemos ni tú ni yo menospreciarlo, sino decir qué es en verdad lo que aún queda de la retórica.

FEDRO.– Un montón de cosas, Sócrates, al menos las que se encuentran en los tratados sobre el arte de la palabra.

SÓCRATES.– Hiciste bien en recordármelo. En primer lugar, creo yo, está eso de que debe pronunciarse un *exordio* al principio del discurso. ¿Te refieres –¿no es verdad?– a esas sutilezas del arte?

e FEDRO.– Sí.

SÓCRATES.– Y en segundo lugar una *exposición,* y a continuación los *testimonios,* y en tercer lugar los *indicios,* y en cuarto las *probabilidades.* Y creo que incluso habla de una *confirmación,* y una *confirmación adicional* ese excelente artífice de la palabra nacido en Bizancio...

FEDRO.– ¿Te refieres al hábil Teodoro?   *267*

SÓCRATES.– ¡Cómo no! Y también dice que se debe hacer una *refutación* y una *refutación adicional* tanto en la acusación, como en la defensa. ¿Y no sacamos a la lid al extraordinario Eveno de Paros, que fue el primero que descubrió la *alusión velada* y los *elogios indirectos?* Y algunos hay que aseguran que hizo también *vituperios indirectos* en verso para que pudieran recordarse, pues era un verdadero sabio. ¿Y vamos a dejar dormir a Tisias y a Gorgias, que vieron que habían de estimarse más las verosimilitudes que las verdades, y por la fuerza de su palabra hacen aparecer las cosas pequeñas como grandes, las grandes como pequeñas, lo que es nuevo como si fuera viejo, y lo contrario como si fuera *b* nuevo, y descubrieron cómo hablar con concisión o extenderse indefinidamente sobre cualquier materia? Oyéndome un día Pródico decir esto se echó a reír, y afirmó que él era el único que había descubierto la clase de discursos que requiere el arte: ni largos, ni cortos, sino de una extensión moderada.

FEDRO.– Muy sabiamente dicho, Pródico.

SÓCRATES.– ¿Y no hablamos de Hipias? Pues creo que a Pródico también le prestaría su voto el extranjero de Elis.

FEDRO.– ¡Qué duda cabe!

Sócrates.– ¿Y cómo hemos de calificar las exquisiteces de los modos de expresión de Polo, verdaderos santuarios de las Musas[67], como la *expresión reiterativa,* la *expresión sentenciosa,* y la *expresión mediante imágenes*?

c ¿Y el rebuscamiento de sus vocablos "licimnios", que le diera Licimnio para contribuir a su elocuencia?

Fedro.– ¿Y no había también, Sócrates, otras tantas invenciones de Protágoras semejantes a éstas?

Sócrates.– Sí, muchacho, una *correcta dicción,* y otras muchas cosas bellas. Pero en el arte de aplicar, aun al arrastre, discursos plañideros a la vejez y a la pobreza, me parece a mí que quien se lleva la palma es ese vigoroso orador de Calcedón[68], que asimismo tenía la habilidad de provocar la indignación de la masa, y de nuevo

d calmar su ira con su embrujo, según afirmaba. De ahí que fuera el más experto tanto para lanzar calumnias, como para disiparlas. Pero en lo que ciertamente parece que hay un común acuerdo es en la terminación de los discursos, que llaman unos *recapitulación* y otros le dan otro nombre.

e Fedro.– ¿Te refieres al recordar al final del discurso al *e* auditorio en un resumen, uno por uno, los puntos que se han tratado?

Sócrates.– A eso me refiero. Y si tú puedes decir algo más con respecto al arte de la palabra...

Fedro.– Pequeneces, no dignas de mención.

Sócrates.– Dejemos entonces las pequeneces, y veamos

268 más bien a la luz esto de que estamos hablando, a saber, qué poder tienen los preceptos del arte, y cuándo.

FEDRO.– Uno y muy poderoso, Sócrates, al menos en las reuniones de la multitud.

SÓCRATES.– Lo tienen, en efecto. Pero, ¡ay, bienaventurado amigo!, mira también tú a ver si no te parece, como a mí, que su urdimbre deja huecos.

FEDRO.– No tienes más que mostrarlos.

SÓCRATES.– Dime entonces: si acercándose uno a tu amigo Erixímaco o a su padre Acúmeno le dijese: "Yo sé aplicar a los cuerpos medicinas tales que pueden calentarlos o enfriarlos, si quiero; obligarles a vomitar, *b* si me place; a hacer de vientre, si es esa mi voluntad, y también producir en ellos otros muchos efectos semejantes; y por saber esto me creo capaz de ser médico, y de convertir en médico a quien transmita el conocimiento de estas medicaciones"; ¿qué crees tú que dirían después de oírlo?

FEDRO.– ¿Qué otra cosa podrían hacer sino preguntarle si sabía además a quiénes debe aplicar cada uno de esos tratamientos, y en qué momento, y hasta qué límite?

SÓCRATES.– ¿Y si él respondiera: "En absoluto. Pero estimo que el que aprende esto de mí queda capacitado por sí solo para hacer lo que preguntas"? *c*

FEDRO.– En ese caso dirían, creo yo, que el individuo en cuestión está loco, y que por haber oído hablar de estas cuestiones en algún libro o haberse tropezado con medicamentos, cree haberse hecho médico, aunque no entiende nada de ese arte.

SÓCRATES.– ¿Y qué me dices si, llegándose uno a Sófocles o a Eurípides, les dijera que sabe componer larguísimos parlamentos sobre un asunto de pequeña monta; o sumamente pequeños sobre uno importante; quejumbrosos, cuando quiere; o, por el contrario, temibles y amenazadores; y así sucesivamente con todas *d* las cosas de este tipo; y se imaginara que enseñando esto transmite el modo de componer una tragedia?

FEDRO.– También éstos, Sócrates, se reirían, me supongo, de que alguien creyera que una tragedia es otra cosa que la disposición de dichos pasajes hecha de forma que se correspondan entre sí y con el todo de la obra.

SÓCRATES.– Sin embargo, creo yo, no le increparían con rudeza, sino que emplearían los mismos términos que un músico al tropezarse con un hombre que cree saber de armonía, porque conoce casualmente cómo se puede hacer dar a la cuerda la nota más aguda y la más grave. Pues no le diría violentamente: "¡Ay desdi-*e* chado!, no estas en tu sano juicio", sino a fuer de músico en un tono más afable: "Buen hombre, es necesario, en efecto, que tenga también este conocimiento el que vaya a ser un armonizador, pero esto no quita que no entienda ni pizca de armonía quien se encuentra en tu situación. Pues posees los conocimientos necesarios que preceden a la armonía, pero no los relativos a ésta."

FEDRO.– Muy puesto en razón.

SÓCRATES.– Y así también Sófocles a quien les hizo, *269* a él y a Eurípides, aquella demostración le diría que tenía los conocimientos previos a la tragedia, pero no los relativos a ésta; y lo mismo replicaría Acúmeno a su hombre, diciéndole que poseía los anteriores a la medicina, pero no los de esta ciencia.

FEDRO.– Completamente.

SÓCRATES.– ¿Y qué creemos que harían Adrasto[69], el de la voz de miel, y Pericles, si oyeran hablar de esas bellísimas invenciones del arte oratoria que hace un momento expusimos: las braquilogías, las expresiones por medio de imágenes, y cuantos recursos dijimos al enumerarlos que debían ser considerados a plena luz? *b* ¿Les haría acaso la rusticidad como a ti y a mí, decir coléricamente alguna palabra ineducada contra los que han escrito estas cosas y las enseñan como si fueran la retórica, o, como más sabios que nosotros, nos reprenderían incluso a los dos? Y dirían: "Oh Fedro, y tú Sócrates, no debe uno irritarse, sino perdonar, si algunos por no saber emplear el método dialéctico quedaron incapacitados para definir qué es la retórica, y a consecuencia de este percance creyeron, al estar en posesión de los necesarios conocimientos previos a este *c* arte, que la habían descubierto. De ahí que, cuando enseñan dichos conocimientos a los demás, estimen que han quedado perfectamente instruidos por ellos en la retórica, y supongan que el emplear cada uno de dichos recursos de un modo convincente, y el que se estructure el todo de la obra congruentemente –¡casi nada!– es algo que deben sus discípulos procurarse por sus propios medios en sus discursos".

FEDRO.– En verdad, Sócrates, es muy probable que tal sea la índole del arte, que esos hombres califican de retórica tanto en sus enseñanzas como en sus escritos, y a mí al menos me parece que has dicho la verdad. Pero, entonces, ¿cómo y de dónde se podría uno pro- d curar el arte del que en realidad es orador elocuente y persuasivo?

SÓCRATES.– El poder llegar a ser un maestro consumado en este arte, Fedro, es verosímil –y tal vez también necesario– que sea como todo lo demás. Si en tus condiciones naturales está el ser elocuente, serás un orador insigne, si a aquéllas añades la ciencia y la práctica. Y en lo que de éstas quedes corto, en eso mismo serás imperfecto. Pero en lo que hay en ello de arte, me parece que el buen camino no va por la senda seguida por Lisias y Trasímaco.

FEDRO.– Entonces, ¿por dónde va?

e SÓCRATES.– Es muy probable, mi buen amigo, que Pericles haya sido con razón el hombre más perfecto de todos en la oratoria.

FEDRO.– ¿Por qué?

SÓCRATES.– Todas las artes importantes necesitan como aditamento el "charlatanear" y el "meteorolo-
270 gizar"[70] sobre la naturaleza. Pues de ahí parece que viene esa elevación mental y esa eficacia en todos los aspectos. Y esto, en adición a sus dotes naturales, fue lo que adquirió Pericles. Pues habiendo tropezado con Anaxágoras, un hombre, creo yo, que reunía esas condiciones, llenóse de "meteorología" y penetró en la na-

turaleza de la inteligencia y de la falta de inteligencia, sobre las que tantísimo hablaba Anaxágoras; y de ahí sacó y aplicó al arte de la palabra lo que le convenía.

FEDRO.– ¿En qué sentido dices eso? *b*

SÓCRATES.– Sobre poco más o menos la medicina y la retórica tienen la misma particularidad.

FEDRO– ¿Cómo?

SÓCRATES.– En ambas es preciso analizar una naturaleza, la del cuerpo en la una, y la del alma en la otra, si no es únicamente por la rutina y la práctica, sino de un modo científico como se pretende aplicar, al uno la medicación y el alimento conveniente, a fin de conferirle la salud y la fuerza, y a la otra los razonamientos y las prácticas de rigor, con objeto de comunicarle las convicciones que quieras y la virtud.

FEDRO.– Lo verosímil al menos, Sócrates, es así.

SÓCRATES.– ¿Y crees que es posible comprender la *c* naturaleza del alma de un modo digno de tenerse en cuenta sin haber comprendido la naturaleza de su totalidad?

FEDRO.– De prestar crédito a Hipócrates, el Asclepíada, ni siquiera es posible comprender la del cuerpo, sin seguir ese método.

SÓCRATES.–Y su afirmación, compañero, es exacta. Pero, aparte de Hipócrates, es preciso examinar la razón a ver si concuerda con su aserto.

FEDRO.– Sí.

SÓCRATES.– Pues bien, en lo relativo a la naturaleza observa qué es lo que dicen Hipócrates y la estricta

razón. ¿No es así como se debe reflexionar sobre la
d naturaleza de cualquier cosa? En primer lugar, ver si es
simple o complejo aquello sobre lo que queramos po-
seer un conocimiento científico, y tener la posibilidad
de trasmitírselo a otra persona. Luego, si es simple,
examinar sus capacidades: cuál es la que tiene por naturaleza para obrar, y en qué, y cuál otra para padecer,
y por la acción de qué agente. Por último, si tiene va-
rias partes; tras haberlas enumerado, ver en cada una
de ellas, como en el caso del Objeto simple, qué es lo
que puede hacer por naturaleza y con cuál de ellas, y
qué es lo que puede padecer, en qué parte, y por qué
agente.

PEDRO.– Es probable, Sócrates, que sea así.

SÓCRATES.– En efecto, pues, el método que prescin-
diera de esto se parecería al caminar de un ciego. Pero
e ciertamente no es ni con un ciego, ni con un sordo
con quien debe comparar al que persigue de un
modo científico cualquier conocimiento. Por el contrario, está claro que quien enseña con arte a alguno discursos, le mostrará con precisión la realidad de
la naturaleza de aquello a lo que éste vaya a aplicar
dichos discursos. Y eso, sin duda, será el alma.

FEDRO.– Desde luego.

SÓCRATES.– Así, pues, su esfuerzo entero va dirigido
271 a eso, pues en ello intenta producir la persuasión. ¿No
es verdad?

FEDRO.– Sí.

SÓCRATES.– Luego es evidente que Trasímaco o cualquier otro que enseñe con seriedad el arte retórica describirá primero con toda minuciosidad el alma y hará ver si es una cosa única y homogénea, o, a la manera del cuerpo, compleja. Pues en esto estriba, decimos, el mostrar la naturaleza de algo.

FEDRO.– Exactamente.

SÓCRATES.– En segundo lugar hará ver qué es lo que puede hacer, según su naturaleza, y con cuál de sus partes, o bien qué es lo que puede sufrir, y por la acción de cuál agente.

FEDRO.– Desde luego.

SÓCRATES.– Y en tercer lugar, clasificando los géne- b ros de discursos y de almas, así como sus afecciones, expondrá todas las causas, acomodando a cada género el suyo, y enseñando qué clase de almas, por efecto de qué clase de discursos, y por qué causa necesariamente se convencen, unas sí, y otras no.

FEDRO.– Este sería, al menos, según parece, el mejor modo de proceder.

SÓCRATES.– Ni habrá nunca otro, amigo mío, con el que pueda decirse o escribirse con arte, ni esto de que hablamos, ni ninguna otra cuestión, bien sea en la forma de ejercicio de escuela, o de discurso propiamente dicho. Pero los escritores actuales de artes oratorias, a c quienes tú has escuchado, son unos perfectos pillos, y a pesar de que conocen perfectamente lo que atañe al alma, lo disimulan. Por tanto, hasta que no hablen y escriban de ese modo, no les creamos que escriben con arte.

FEDRO.– ¿Qué modo es ése?

SÓCRATES.– Decir las palabras precisas no es fácil. Pero cómo se debe escribir, si ha de quedar el escrito en lo que es posible a la altura del arte, eso sí que estoy dispuesto a decirlo.

FEDRO.– Habla, pues.

SÓCRATES.– Ya que la fuerza del discurso estriba en su hecho de ser un modo de seducir las almas, es necesa-

d rio que quien vaya a ser orador conozca cuántas partes tiene el alma. Pues bien, son éstas tantas y cuántas, y tales y cuáles; y de ahí que unos individuos sean de esta manera, y los otros de esta otra. Y una vez clasificadas dichas partes de este modo, debe hacer lo propio con los discursos: hay en ellos tantas y cuantas especies, y cada uno es de tal y cuál naturaleza. Así que los hombres de tal condición son fáciles de convencer por tales discursos en virtud de tal causa para tales cosas, y difíciles los de tal otra por estas otras causas. Y una vez que tiene una noción suficiente de estas diferencias, al verlas después en la práctica y aplicadas a un caso con-

e creto, ha de poderlas seguir con agudeza de espíritu, so pena de que no le valgan de nada los discursos que en su día escuchó cuando asistía a la escuela. Y cuando esté en situación de decir qué clase de hombre se convence y por qué clase de argumentos, y dándose cuenta de cuándo le tiene a su lado, sea capaz de indicarse a sí mismo que ése es el hombre, y que esa naturaleza

272 que ahora tiene junto a sí de hecho es aquélla de la que en tal día se hablaba en la escuela, y a la que se

debían aplicar estos razonamientos, y de este modo, a fin de conseguirla persuadir de estas cosas; en el momento, decimos, en que esté ya en posesión de todas estas cosas, y haya adquirido además el conocimiento de las ocasiones en las que se debe hablar o callar, y la facultad de reconocer la oportunidad o inoportunidad de las braquilogías, de los pasajes patéticos, de las exageraciones apasionadas, y de cuantos tipos hubiera aprendido de discursos; entonces precisamente, y no antes, es cuando ha llevado su arte a la plenitud de su belleza y perfección. Y si alguno se queda corto en estos requisitos, bien en sus discursos, en sus ense- *b* ñanzas, o en sus escritos, y afirma que habla con arte, quien no le presta crédito se impone con su opinión. "En consecuencia, ¿qué decís?, oh Fedro, y tú Sócrates", dirá tal vez nuestro escritor, "¿os parece bien así, o se ha de aceptar otro modo cualquiera de definir el arte oratoria?"

FEDRO.– Tal vez es imposible, Sócrates, aceptar otro. Y aun así no parece ser empresa pequeña.

SÓCRATES.– Dices la verdad. Por eso ciertamente hay que revolver de arriba abajo todos los razonamientos para examinar si aparece por alguna parte un camino más fácil y corto que conduzca a este arte, a fin de no *c* desviarse en vano por un largo y empinado camino, si es posible ir directamente por uno corto y llano. Por tanto, si puedes prestar alguna ayuda con lo que hayas oído decir a Lisias o a algún otro, intenta recordar sus palabras y dilas.

FEDRO.– Por probar, podría hacerlo; pero no estoy por el momento en situación de ello.

SÓCRATES.– ¿Quieres entonces que te diga un aserto que he oído a algunos de los que se dedican a estas cuestiones?

FEDRO.– Por supuesto.

SÓCRATES.– En todo caso, Fedro, se dice que es justo también defender la causa del lobo.

d FEDRO.– Entonces hazlo tú también así.

SÓCRATES.– Dicen en verdad esos hombres que no hace falta para nada ensalzar tanto estas cuestiones, ni subir tan arriba dando tan largo rodeo; porque es un hecho que quien se propone ser un orador cumplido no necesita en absoluto, según dijimos también al principio de esta discusión, el ocuparse de la verdad en relación con las cosas justas y buenas, ni en relación con los hombres que poseen estas cualidades por naturaleza o educación. Pues en los tribunales a nadie le interesa lo más mínimo la verdad sobre estas cuestiones, y sí, en cambio, lo que induce a persuasión. Y esto es lo *e* verosímil, y a ello debe prestar atención quien vaya a hablar con arte. Pues ni aún se deben decir en ocasiones los hechos, en caso de que no hayan ocurrido de un modo natural, sino las probabilidades, y eso tanto en la acusación como en la defensa. Así que, cuando se habla, se ha de perseguir por todos conceptos lo verosímil, mandando mil veces a paseo la verdad, ya que *273* es eso lo que, al mostrarse a través de todo el discurso, procura el arte en su totalidad.

FEDRO.– Has expuesto, Sócrates, precisamente lo que dicen quienes se las dan de ser expertos en el arte de la palabra. Y recuerdo que en lo anterior rozamos brevemente dicho asunto, que, por otra parte, les parece de grandísima importancia a los versados en estas cuestiones.

SÓCRATES.– Pues bien, a Tisias al menos le tienes trillado de arriba a abajo[71]. Que nos diga entonces Tisias, si a su decir lo verosímil es otra cosa que la opinión de la muchedumbre. *b*

FEDRO.– ¿Qué otra cosa iba a decir?

SÓCRATES.– De ahí, al parecer, que descubriera y compusiera aquello tan sabio y tan artificioso a la vez de que, si era llevado a juicio un hombre débil y valeroso por haber golpeado a uno fuerte y cobarde, y robado su manto u otra cosa, no debían decir ninguno de los dos la verdad, sino afirmar el cobarde que no había sido golpeado sólo por el valiente, y el otro argüir que estaban los dos solos, y recurrir al célebre: "¿Cómo hu- *c* biera podido atacar yo, un hombre tan débil, a uno tan fuerte?". Éste a su vez no reconocerá su propia cobardía, sino que, tratando de inventar otra mentira, pondrá tal vez en manos de su adversario un modo de refutarlo. Y en lo demás son también de esta índole o poco menos las cosas que se dicen con arreglo al arte. ¿No es verdad, Fedro?

FEDRO.– En efecto.

SÓCRATES.– ¡Ay!, es el descubrimiento de un arte oculto lo que parece haber hecho sagazmente Tisias, o quien sea su verdadero descubridor, y el nombre que le guste recibir[72]. Pero, oh compañero, ¿debemos o no

d decir a este hombre...?

FEDRO.– ¿El qué?

SÓCRATES.– Esto: Oh Tisias, desde hace un rato, antes incluso de que tú comparecieras, venimos diciendo que esa noción de lo verosímil se produce en la mente del vulgo precisamente por la semejanza con la verdad. Y las semejanzas, acabamos de exponer, es siempre el conocedor de la verdad el que mejor las sabe encontrar. De manera que, si dices otra cosa sobre el arte de la palabra, te escucharemos, y si no, prestaremos crédito a eso que hace un momento exponíamos de que, a no ser que se enumeren las naturalezas de los que van a componer el auditorio, y se tenga la capa-

e cidad tanto de dividir en especies las realidades, como de abarcarlas una por una en una sola idea, jamás se llegará a tener el dominio, en lo que esto es posible para un hombre, del arte oratoria. Y lo dicho nunca se podrá adquirir sin gran esfuerzo. Y no es el hablar y el negociar con los hombres aquello por lo que debe poner el hombre sensato ese esfuerzo, sino el poder decir cosas gratas a los dioses, y el obrar en todo, según sus fuerzas, del modo que les es grato. Pues, al decir de los más sabios que nosotros, Tisias, no debe

274 ejercitarse el hombre con seso, salvo de un modo accesorio, en complacer a sus compañeros de esclavitud, sino en complacer a unos amos que son buenos y están hechos de buenos elementos.

De manera que, si es largo el rodeo, no te admires. Pues son grandes las cosas por las que se debe dar, y no es como tú te figuras. Pero en verdad, según lo asegura nuestro argumento, se obtendrán también, si se desean obtener, de aquellas grandes cosas estas pequeñas en su mayor perfección.

FEDRO.– Muy bien dicho a mi entender, Sócrates, si es que hay alguien capaz de realizar lo expuesto.

SÓCRATES.– A quien intenta cosas bellas, bello le es tambien el padecer cualquier cosa que le acontezca *b* padecer.

FEDRO.– En efecto.

SÓCRATES.– Así que, baste lo dicho sobre el arte y la falta de arte en los discursos.

FEDRO.– De acuerdo.

SÓCRATES.– En cambio, en lo relativo a la conveniencia o inconveniencia del escribir, queda por decir cómo, según la manera en que se haga, puede ser algo que esté bien o mal. ¿No es verdad?

FEDRO.– Sí.

SÓCRATES.– ¿Y sabes de qué manera agradarás más a los dioses en esta cuestión de los discursos, tanto al hacerlos como al hablar de ellos?

FEDRO.– En absoluto. ¿Y tú?

SÓCRATES.– Puedo al menos contarte una tradición que viene de los antiguos, pero lo que hay de verdad en ella sólo ellos lo saben. Con todo, si por nuestras propias fuerzas pudiéramos nosotros descubrirlo, ¿nos íbamos a preocupar ya más de lo que se figuran los hombres?

FEDRO.– Ridicula pregunta. Ea, cuenta esa tradición que dices ha llegado a tus oídos.

SÓCRATES.– Pues bien, oí decir que vivió en Egipto en los alrededores de Naucratis uno de los antiguos dioses del país, aquél a quien le está consagrado el pájaro que llaman Ibis. Su nombre es Theuth[73] y fue el primero en descubrir no sólo el número y el cálculo, *d* sino la geometría y la astronomía, el juego de damas y los dados, y también las letras. Reinaba entonces en todo Egipto Thamus que vivía en esa gran ciudad del alto país a la que llaman los griegos la Tebas egipcia, así como a Thamus le llaman Ammón. Theuth fue a verle y, mostrándole sus artes, le dijo que debían ser entregadas al resto de los egipcios. Preguntóle entonces Thamus cuáles eran las ventajas que tenía cada una y, según se las iba exponiendo aquél, reprobaba o alababa lo que en la exposición le parecía que estaba mal *e* o bien. Muchas fueron las observaciones que en uno y en otro sentido, según se cuenta, hizo Thamus a Theuth a propósito de cada arte, y sería muy largo el referirlas. Pero una vez que hubo llegado a la escritura, dijo Theuth: "Este conocimiento, oh rey, hará más sabios a los egipcios y aumentará su memoria. Pues se ha inventado como un remedio de la sabiduría y la memoria". Y aquél replicó: "Oh, Theuth, excelso inventor de artes, unos son capaces de dar el ser a los inventos del arte, y otros de discernir en qué medida son ventajosos o perjudiciales para quienes van a hacer uso de ellos. Y ahora tú, como padre que eres de las letras, dijiste por cariño a ellas el efecto contrario al que producen. *275* Pues este invento dará origen en las almas de quienes lo aprendan al olvido, por descuido del cultivo de la memoria, ya que los hombres, por culpa de su confianza en la escritura, serán traídos al recuerdo desde fuera, por unos caracteres ajenos a ellos, no desde dentro, por su propio esfuerzo. Así que, no es un remedio para la memoria, sino para suscitar el recuerdo lo que es tu invento. Apariencia de sabiduría y no sabiduría verdadera procuras a tus discípulos. Pues habiendo oído hablar de muchas cosas sin instrucción, darán la impresión de conocer muchas cosas, a pesar de ser en su *b* mayoría unos perfectos ignorantes; y serán fastidiosos de tratar, al haberse convertido, en vez de sabios, en hombres con la presunción de serlo."

Fedro.– ¡Ah, Sócrates!, se te da con facilidad el componer historias de Egipto o de cualquier otro país que te venga en gana.

Sócrates.– Los sacerdotes del templo de Zeus de Dodona, amigo mío, dijeron que las primeras palabras proféticas habían procedido de una encina. A los hombres de entonces, pues, como no eran sabios como vosotros los jóvenes, les bastaba en su simplicidad con oír a una encina o a una piedra, con tal de que dijesen *c* la verdad. Pero a ti tal vez te importa quién es y de dónde es el que habla. Pues no atiendes únicamente a si las cosas son tal como las dice o de otra manera.

Fedro.– Con razón me reprendiste, y me parece que con respecto a la escritura ocurre lo que dice el Tebano.

Sócrates.– Así, pues, tanto el que deja escrito un manual, como el que lo recibe, en la idea de que de las letras derivará algo cierto y permanente, está probablemente lleno de gran ingenuidad y desconoce la

d profecía de Arrimón, al creer que las palabras escritas son capaces de algo más que de hacer recordar a quien conoce el tema sobre el que versa lo escrito.

FEDRO.– Muy exacto.

SÓCRATES.– Pues eso es, Fedro, lo terrible que tiene la escritura y que es en verdad igual a lo que ocurre con la pintura. En efecto, los productos de ésta se yerguen como si estuvieran vivos, pero si se les pregunta algo, se callan con gran solemnidad. Lo mismo les pasa a las palabras escritas. Se creería que hablan como si pensaran, pero si se les pregunta con el afán de informarse sobre algo de lo dicho, expresan tan sólo una cosa que siempre es la misma. Por otra parte, basta con que algo

e se haya escrito una sola vez, para que el escrito circule por e todas partes lo mismo entre los entendidos que entre aquellos a los que no les concierne en absoluto, sin que sepa decir a quiénes les debe interesar y a quiénes no. Y cuando es maltratado, o reprobado injustamente, constantemente necesita de la ayuda de su padre, pues por sí solo no es capaz de defenderse ni de socorrerse a sí mismo.

FEDRO.– También esto que has dicho es muy exacto.

SÓCRATES.– Entonces, ¿qué? ¿Hemos de ver otro dis-

276 curso hermano legítimo de éste, de qué modo nace, y cuánto mejor y más capacitado crece?

FEDRO.– ¿Qué discurso es ése, y de qué manera dices que nace?

SÓCRATES.– Es aquél que unido al conocimiento se escribe en el alma del que aprende; aquél que por un lado sabe defenderse a sí mismo, y por otro hablar o callar ante quienes conviene.

FEDRC– Te refieres al discurso que posee el hombre que sabe, a ese discurso vivo y animado, cuya imagen se podría decir con razón que es el escrito.

SÓCRATES.– Precisamente. Pero ahora respóndeme a *b* esto. El agricultor sensato ¿sembraría acaso en serio durante el verano y en un jardín de Adonis[74] aquellas semillas por las que se preocupara y deseara que produjeran fruto, y se alegraría al ver que en ocho días se ponían hermosas? ¿O bien haría esto por juego o por amor de una fiesta, cuando lo hiciera, y en el caso de las simientes que le interesaran de verdad recurriría al arte de la agricultura, sembrándolas en el lugar conveniente, y contentándose con que llegaran a término cuantas había sembrado una vez transcurridos siete meses?

FEDRO.– Así haría, Sócrates, lo que hiciera con serie- *c* dad, y lo que no, de la manera opuesta, según dices.

SÓCRATES.– Y el que tiene el conocimiento de las cosas justas, bellas y buenas ¿hemos de decir que tiene menos seso con respecto a sus simientes que el agricultor?

FEDRO.– En absoluto.

SÓCRATES.– Luego lo que no hará seriamente será

"el escribirlas en agua"[75], o lo que es igual, en tinta, sembrándolas por medio del cálamo con palabras que tan incapaces son de ayudarse a sí mismas de viva voz, como de enseñar la verdad en forma satisfactoria.

FEDRO.– No es, desde luego, probable.

d   SÓCRATES– No lo es, en efecto. Por el contrario, los "jardines de las letras" los sembrará y escribirá, al parecer, por pura diversión, cuando los escriba, haciendo acopio, por si llega al "olvido que acarrea la vejez[76], de recordatorios para sí mismo y para todo aquel que haya seguido sus mismos pasos; y se alegrará viéndolos madurar. Y cuando los demás se entreguen a otras diversiones, recreándose con festines y cuantos entretenimientos hay hermanos de éstos, entonces él, según es de esperar, preferirá a estos placeres pasar el tiempo divirtiéndose con las cosas que digo.

e   FEDRO.– Hermosísimo entretenimiento frente a uno vil ese que mencionas, Sócrates, del hombre capaz de jugar con los discursos, componiendo historias sobre la justicia y las demás cosas que dices.

SÓCRATES.– En efecto, amigo Fedro, así es. Pero mucho más bello, creo yo, es el ocuparse de ellas en serio, cuando, haciendo uso del arte dialéctica, y una vez que se ha cogido un alma adecuada, se plantan y se siembran en ella discursos unidos al conocimiento; discursos capaces de defenderse a sí mismos y a su

277   sembrador, que no son estériles, sino que tienen una simiente de la que en otros caracteres germinan otros discursos capaces de transmitir siempre esa semilla de

un modo inmortal, haciendo feliz a su poseedor en el más alto grado que le es posible al hombre.

FEDRO.– Mucho más bello aún es esto que dices.

SÓCRATES.–Ahora ya, Fedro, una vez de acuerdo en esto, podemos juzgar aquello.

FEDRO.– ¿El qué?

SÓCRATES.– Lo que queríamos ver y nos ha conducido a esto, a saber, el hacer un examen del reproche que se le hacía a Lisias por el hecho de escribir discursos, y otro, relativo a los discursos en sí, de los que se escribían con arte o sin arte. Ahora bien, lo que está de *b* acuerdo con el arte, y lo que no, queda aclarado, me parece a mí, en su debida medida.

FEDRO.– Así ciertamente nos pareció. Pero recuérdame otra vez cómo.

SÓCRATES.– Hasta que no se conozca la verdad de todas y cada una de las cosas sobre las que se habla o se escribe; se tenga la capacidad de definir la cosa en cuanto tal en su totalidad; se sepa, después de definirla, dividirla en especies hasta llegar a lo indivisible; se haya llegado de la misma manera a un discernimiento de la naturaleza del alma; se descubra la especie de *c* discurso apropiada a cada naturaleza; se componga y se adorne según ello el discurso, aplicando discursos abigarrados y en todos los tonos al alma abigarrada, y simples a la simple; hasta ese momento, será imposible que el género oratorio sea tratado, en la medida que lo permite su naturaleza, con arte, tanto en su aplicación a la enseñanza, como en su aplicación a la persuasión, según nos lo ha indicado toda la discusión anterior.

FEDRO.– Efectivamente, así se puso de manifiesto.

d SÓCRATES.– ¿Y qué me dices sobre el que sea bello o vergonzoso el pronunciar o el escribir discursos, y la manera en que debe hacerse para que pueda ser o no calificado en justicia de oprobioso? ¿Es que no ha puesto en claro lo dicho un poco antes...?

FEDRO.– ¿El qué?

SÓCRATES.– Que si Lisias u otro cualquiera ha escrito alguna vez o escribe en el futuro, como particular, o como hombre investido de poderes públicos que, al promulgar leyes, escribe una obra política, y considera que en ella hay una gran firmeza y certidumbre[77], en este supuesto hay ciertamente motivo de reprobación para el escritor, se diga o no. Pues el ser un ignorante, día y noche, en lo que atañe tanto a lo justo y lo injusto, como a lo malo y lo bueno no se sustrae en verdad al hecho de ser reprobable, aun cuando toda la gente lo alabase.

FEDRO.– No se sustrae, en efecto.

SÓCRATES.– En cambio, quien considera que en los discursos escritos sobre cualquier materia hay necesariamente gran parte de juego, y que jamás discurso alguno con verso o sin verso valió mucho la pena de ser escrito, o de ser pronunciado, a la manera que se pronuncian los de las rapsodias, sin previo examen ni doctrina y por el mero objeto de persuadir, quien cree

278 que los mejores de ellos no son más que una manera de hacer recordar a los conocedores de la materia, y

que son los que se dan como enseñanza, se pronuncian con el objeto de instruir, se escriben realmente en
el alma, y versan sobre lo justo, lo bello y lo bueno los
únicos en los que hay certeza, perfección e interés que
valga la pena; quien piensa que tales discursos deben
llamarse, por decirlo así, hijos legítimos suyos: primero
el que tiene en sí mismo, en el supuesto de que esté en
él por haberlo él mismo descubierto, y luego cuantos *b*
descendientes de éste y hermanos a la vez se producen
en las almas de otros hombres según su valía; quien
mande a paseo los demás discursos; ese hombre, Fedro, el hombre que reúne esas condiciones, es muy
probable que sea tal como tú y yo, en nuestras plega-
rias, pediríamos llegar a ser.

FEDRO.– Por supuesto, lo que dices es enteramente lo
que yo quiero y pido ser.

SÓCRATES.– Pues bien, cese aquí ya en su justo límite
nuestro entretenimiento con los discursos. Y tú llégate
a Lisias y hazle saber que, habiendo descendido ambos
al arroyo de las Ninfas y a su santuario, oímos unas palabras que nos encomendaron transmitir un mensaje, *c*
tanto a Lisias y a todo aquel que compone discursos,
como a Homero y a cuantos hayan compuesto poesía
sin acompañamiento musical o para ser cantada, y en
tercer lugar a Solón y a cualquier otro que, ocupado
en la oratoria política, haya escrito obras denominán-
dolas leyes. Helo aquí: si alguno de ellos compuso sus
obras sabiendo cómo es la verdad, puede socorrerlas
sometiéndose a prueba sobre lo que ha escrito, y con

sus palabras es capaz de dejar empequeñecidos los productos de su pluma, no debe recibir en tal caso su nombre del género de sus escritos, sino de aquellas *d* otras cosas en las que puso su más elevado empeño.

FEDRO.– ¿Qué nombres le atribuyes entonces?

SÓCRATES.– El llamarle sabio, Fedro, me parece algo excesivo y que tan sólo a la divinidad corresponde.

En cambio, el llamarle amante de la sabiduría[78] o algo semejante le estaría más en consonancia y mejor acomodado.

FEDRO.– Y no sería en modo alguno impropio.

SÓCRATES.– A la inversa, al que tiene cosas de mayor valor que las que compuso o escribió, revolviéndolas tiempo y tiempo de arriba abajo, pegando unas con otras o amputándolas, ¿no le llamarás tal vez con justi-*e* cia poeta, compositor de discursos o escritor de leyes?

FEDRO.– Desde luego.

SÓCRATES.– Pues dile eso a tu amigo.

FEDRO.– ¿Y tú qué? ¿Cómo harás? Que tampoco hay que pasar por alto a tu compañero.

SÓCRATES.– ¿A cuál te refieres?

FEDRO.– A Isócrates el bello. ¿Qué le comunicarás, Sócrates? ¿Qué vamos a decir que es?

SÓCRATES.– Todavía es joven Isócrates, Fedro. Pero lo *279* que le vaticino estoy dispuesto a decirlo.

FEDRO.– ¿El qué?

SÓCRATES.– Me parece que por naturaleza no admite comparación con los discursos de Lisias, y que además en su carácter tiene la mezcla de mejores elementos.

De manera que no sería nada extraño que, al avanzar su edad, en ese tipo de discursos que ahora intenta sobrepasara a todos los que anteriormente escribieron más que si fueran niños; y mucho más aún, si no le contentaran estos discursos, y a cosas mayores le condujese un impulso más divino. Pues por natural disposición, amigo mío, hay en la mente de este hombre cierta filo- *b* sofía. Esto es, pues, lo que yo de parte de estas divinidades comunicaré a Isócrates, como a mi amado, y eso otro lo que tú comunicarás a Lisias, como el tuvo.

FEDRO.– Así lo haré. Pero marchémonos, puesto que se ha mitigado el calor.

SÓCRATES.– ¿Y no conviene antes de marcharse elevar una plegaria a estas divinidades?

FEDRO.– Desde luego.

SÓCRATES.– Oh, Pan querido, y demás dioses de este lugar, concededme el ser bello en mi interior. Y que cuanto tengo al exterior sea amigo de lo que hay dentro *c* de mí. Ojalá considere rico al sabio, y sea el total de mi dinero lo que nadie sino el hombre moderado puede llevarse consigo o transportar. ¿Necesitamos pedir algo más, Fedro? A mí lo que he suplicado me basta.

FEDRO.– Suplícalo también para mí, puesto que son comunes las cosas de los amigos[79].

SÓCRATES.– Vámonos.

Notas

[1] Céfalo, siracusano de nacimiento, se había establecido en Atenas por consejo de Pericles, y poseía en el Píreo una importante fábrica de escudos. Según se deduce del comienzo del libro 1 de la *República* estaba bien relacionado con los círculos intelectuales atenienses. Tanto él como sus hijos Lisias y Polemarco, a quien se menciona en este mismo diálogo (257 b), pertenecían al partido democrático, lo que tuvo funestas consecuencias para la familia. Durante el régimen de los Treinta Tiranos Polemarco fue ejecutado y Lisias tuvo que huir a Mégara.

[2] Médico de renombre y padre de Erixímaco, médico también y uno de los interlocutores del *Banquete*. Ambos son mencionados en 268 a. Fedro, según se pone de relieve en el diálogo anterior (176 d), prestaba gran crédito a las prescripciones de uno y otro.

[3] *Drómos* ("lugar de paseo") se aplica especialmente a los pórticos de las palestras.

[4] Probablemente el mismo personaje que aparece en Aristófanes, *Eccl.* 71, del que dice el Escoliasta a dicho lugar que era un orador y demagogo.

[5] Fastuoso personaje, célebre por sus fiestas que go-

zaban de mala reputación. El templo de Zeus Olímpico, comenzado en tiempos de Pisístrato, permaneció desde su muerte hasta Antíoco Epífanes sin concluir.

[6] *Istmicas* I, 2.

[7] Pequeña ciudad del istmo de Corinto a corta distancia de Atenas.

[8] Médico mencionado en el *Protágoras*, 361 e, y en la *República* I, 406 a. La alusión de Sócrates a los paseos higiénicos recomendados por Heródico no está exenta de ironía, dado el carácter de Fedro tan inclinado siempre a prestar fe ciega a los consejos de los médicos.

[9] Los Coribantes eran sacerdotes de Cibele, en cuyo honor celebraban unas danzas frenéticas. Platón gusta mucho de la metáfora *korybantiân* para indicar un arrebato de tipo intelectual, encontrándose en su obra cinco textos relativos a los Coribantes además de éste: *Eutid.* 277 d–e, *Leyes* 790 d–791 a *Gritón 54 d, Ión* 533 c–534 b, 536 c y *Banq.* 215 e (cf. Iván Linforth, *The Corybantic Rites in Plato; Univ. of California, Publicat in Class. Philol. XIII*, 1946, pp. 121–62).

[10] Riachuelo del Ática.

[11] La costumbre de Sócrates de andar descalzo es bien conocida, cf. *Banquete* 150 c, 174 a, Aristófanes, *Nubes* vv. 103 y 362, Jenofonte, *Memorables 1,6,2.* En cuanto a Fedro, si va descalzo, es posiblemente por seguir alguna prescripción higiénica, como sugiere Robín.

[12] El plátano en cuestión estaba a la orilla izquierda del Iliso, según ha demostrado Ritter, "Miszellen", *Phi-

lologus LXVII, 1908, p. 314.

[13] Bóreas, el viento Norte, gozaba de un culto especial en el Ática, por estar emparentado con los atenienses precisamente por esta su unión con Oritiya, hija del rey Erecteo, con la que tuvo dos hijos: Zetes y Calais. De ahí la ayuda que les prestó en la batalla de Artemision, según decir de Heródoto VII, 189.

[14] Demo del Ática.

[15] En efecto, estaba de moda entre los sofistas la explicación racional de los mitos. La presente digresión sirve para poner de manifiesto la postura de Sócrates, es decir, del propio Platón, respecto a tales especulaciones, cf. J. Tate en *CQ.* XXIII, 1929 y XXIV, 1930.

[16] Ninfa de una fuente próxima al Iliso.

[17] Monte frontero a la Acrópolis. En él celebraba sus sesiones el famoso tribunal que según la tradición juzgó por primera vez en el matricidio de Orestes, y allí pronunció San Pablo un célebre sermón.

[18] Esta misma razón es la que hace despreciar a Sócrates el estudio de la naturaleza, cf. Jenofonte, *Memorables* 1,1,12.

[19] Tifón, monstruo de cien cabezas y cuerpo de serpiente, fue derrotado y arrojado al Tártaro por Zeus que puso sobre él la masa ingente del Etna. La cólera impotente del monstruo se deja sentir de vez en cuando por las erupciones del volcán. Platón hace aquí un juego de palabras entre t*ûphos, Typhôn* y *(epitethymménos),* que se puede conservar, en parte, en español, por tener la palabra "tufo" el mismo sentido de "soberbia"

que en griego. En cuanto al término *(moîra)* creemos que tiene aquí el sentido de "parte", "porción", y no el de "destino" como traduce Robin.

[20] El sauzgatillo *(Vitex agnus castus)* es un arbusto que crece a orillas de los ríos.

[21] El Aqueloo, el mayor de los ríos de Grecia, nace en Epiro y desemboca en el golfo de Lepanto. Como divinidad fluvial era considerado padre de algunas ninfas, entre ellas Siringe, amada de Pan (cf. Ovidio, *Metamorfosis* I, 689 y ss.). Las estatuillas a que se hace mención son de índole votiva.

[22] Éste es uno de los rasgos típicos de Sócrates. Salvo sus salidas a Potidea, Delion y Amfípolis, como soldado (cf. *Banquete* 220 e, 221 a), y una peregrinación a los juegos ístmicos (cf. *Critón 52 b)* no abandonó nunca la ciudad.

[23] El discurso de Lisias hace gran uso de los *schémata Gorgíeia,* la *antíthesis,* los *párisa* e *isa,* y el *homoiotéleuton;* de ahí que resulte difícil su traducción por la imposibilidad de reproducir en castellano los mismos efectos rítmicos y fonéticos. En este párrafo, p. ej. (desde *eketnoi gar...* hasta *eúxontai* se encuentran dos *cola* con tres *kómmata* con, *homoiotéleuton, –sousi, –sontai* cada uno. En el primero de aquéllos los *kómmata* son *párisa* con número creciente de sílabas *kai agapésousi kai akolouthéisousi 7, kai... héxousi 9,* en el segundo hay un *kómma* de ocho sílabas *kai hesthésontai,* y dos *kómmata isa* de once *kai... eísontai, y km eúxontai* que cierran el párrafo. Hemos intentado imitarlos en lo que cabe en

castellano mediante el empleo reiterado de la terminación *–rán*. Y al mismo expediente hemos recurrido en otros pasajes del discurso como el lector habrá podido comprobar.

[24] Probablemente no se trata de una manifestación de la eipcóveux *(eiróneia)* de Sócrates, sino de una alusión a los epcútiKoi Xoyoi *(erotikoi lógoi)* de moda entre los sofistas de la época. La ironía socrática, empero, aparece más abajo.

[25] Los nueve arcontes, al tomar posesión de su cargo, juraban consagrar una estatua de oro si transgredían alguna de las leyes, según refiere Aristóteles, *Constitución de Atenas* VII, 1. No obstante, no se hace mención en este texto a que la estatua fuera de tamaño natural, ni a que tuviera que consagrarse en Delfos. Ambos detalles aparecen agregados en Plutarco, *Solón* 25 probablemente, como sugiere Hackforth, para conformar los términos del juramento con este pasaje del *Fedro*. Otras referencias a esta costumbre se pueden encontrar en Heráclides Póntico, fr. 1, ed. Kóhl, y en la *Suda* s. v. *chrysé eikón*.

[26] El adjetivo *xpvoovc, (chrysoüs)* con el que Sócrates recoge festivamente el *chrysén eikóna* tiene en el lenguaje popular un sentido cariñoso o irónico. Aquí se aplica a la ingenuidad de Fedro.

[27] ¿Se añade esta ofrenda a la anterior, o bien se trata de un descuido de Fedro que un poco más arriba ponía como lugar de erección de la estatua Delfos? Los Cipsélidas son los descendientes de Cipselo, tirano de

Corinto.

[28] Metáfora tomada de la lucha: *labe* "acción de coger", *eis labas elthein* "llegar a ofrecer presa de uno mismo al adversario". De ahí la traducción que ofrecemos

[29] Cf. 228 a, b.

[30] Verso de Píndaro (fr. 94 Bowra) convertido en proverbio.

[31] Juramentos eufemísticos en asuntos de poca monta. Sócrates suele emplear *vné ton kyna* "por el perro".

[32] Los antiguos no supieron percibir el tono festivo de esta invocación a las Musas. Dionisio de Halicarnaso *(Demóstenes, 7)* le critica acerbamente su *poietiké apeirokalía,* sin darse cuenta de que Sócrates lo que pretende es justamente remedar la *apeirokalía* de los rétores. Menos profundo Hermógenes 5v, *peri ideón..* II, 322 alaba la *glykytes* que confiere a la invocación el epíteto *ligeiai.*

[33] Es fundamental el llegar a la definición de los objetos, para lo cual se aplicará más adelante (265 d) el método dialéctico.

[34] La palabra *dóxa* aquí no tiene el sentido epistemológico de "opinión" como polo opuesto de la *epistéme o nóesis* "conocimiento científico", sino que está empleada en su acepción vulgar de "modo de pensar".

[35] Admitido que el amor es una *epithymía,* Sócrates tiene interés en poner de relieve su "fuerza" que produce en el alma un estado de desequilibrio con predominio de la parte irracional de la misma sobre la ra-

cional, estado éste que entra en el concepto de *hybris*.
De ahí que ponga en relación el nombre del amor *éros*
con el de "fuerza" *rhóme* y el verbo *rhónnymi*. Aunque
el juego de palabras es imposible de reproducir en castellano, sí lo es la paronomasia *erroménos rhostheisa* que
traducimos "reforzado fuertemente".

[36] El refrán completo, al decir del Escoliasta a este lugar, decía: *hélix hélika, térpe, géron dé térpe géronta*. Platón
lo cita también en el *Banquete* 195 b, en el *Gorgias* 510
b y en el *Lisis* 214 a. Más abajo se encuentra una cita a
Eveno, fr. 8 Bergk e a Teognis, v. 472 *pangaranankaĩonc
hrém'anierbn éphy;* véase la nota a este lugar en Bergk.

[37] *Apesterekós,* es una metáfora jurídica: el amante se
encuentra por necesidad en un estado en que no puede cumplir sus promesas, siendo su situación similar
a la del reo de fraude, condenado en rebeldía, al no
presentarse a juicio. La expresión *ostrákou metapesón-
tos* alude al juego llamado *ostrakínda* que explica bien
Hermias: se lanza una concha al aire en medio de dos
equipos, y según que caiga o no sobre la cara blan-
ca, uno de los equipos tiene que echarse a correr y el
otro lanzarse a su persecución. Los paremiógrafos (cf.
ed. Leutsch II, 84) han recogido el dicho proverbial
ostrákou peristrophé.

[38] Según Hermias se trata de una adaptación de la
Ilíada XXII, 263. Y nos parece también seguro que
haya de leerse con él *árn'agapñs'* con lo que se obtiene
un hexámetro dactilico perfecto, adquiriendo así sentido la afirmación de Sócrates de más abajo (241 e) de

estar declamando versos épicos.

[39] En efecto, en el *Banquete* Fedro es "el padre de la discusión", y más adelante se lo llama "padre de bellos hijos" (261 a).

[40] Simmias de Tebas, perteneciente al círculo socrático, fue uno de los amigos del maestro que estuvo dispuesto a preparar su evasión de la cárcel. En el *Fedón es* uno de los interlocutores del diálogo, donde defiende ciertas teorías pitagóricas aprendidas de su anterior maestro Filolao. Diógenes Laercio le asigna veintitrés diálogos, hoy perdidos.

[41] Es decir: "no es una mala noticia la que me das".

[42] Se trata de una manifestación del célebre "demonio" socrático. Cf. *Apología* 31 d y Jenofonte, *Memorables* IV, 8,1.

[43] Fr. 51 Bergk.

[44] A la concepción popular de que Eros es un dios, sostenida por Agatón, se opone en el *Banquete* la de Diotima, expuesta por Sócrates, que lo considera un genio, hijo del Recurso y de la Pobreza.

[45] La nueva versión del mito, tal como la ofrecía la *Palinodia,* de la que aquí se conserva el fr. 46 Bergk de Estesícoro, se puede reconstruir fundamentalmente por la *Helena de* Eurípides. Paris, al raptar a Helena, no llevó a Troya más que un *eídolon* forjado por los dioses, en tanto que la verdadera Helena era transportada a Egipto y atendida por el rey Proteo. Al llegar allí Menelao de regreso de Troya, se desvanece el fantasma, y ambos esposos pueden reunirse felizmente. Home-

ro, que no se dio cuenta de su difamación, fue ciego, como es sabido.

45 bis) La expresión *bis*. £K tciov ólioÍcúv *(ek ton homoíon)* no significa "en igualdad de condiciones", sino "en correspondencia a la acción de la otra parte" (cf. Fraenkel, nota a *Ag.* 1423 y Verdenius en *Mnemosyne* VIII, 1955, p. 275).

[46] Posible juego de palabras: *eúphemos* es el "que se abstiene de palabras de mal agüero o irreverentes". En Hímera, asimismo se puede encontrar una alusión al "flujo de pasión" *hímeros* del que se hablará más adelante.

[47] De nuevo Platón vuelve a divertirse jugando con las etimologías. Robín hace notar que este pasaje presupone la doctrina del *Crátilo* de que el lenguaje ha sido instituido por legisladores filósofos que combinaron los sonidos para reproducir las ideas.

[48] Alusión a ciertas culpas hereditarias como las que pesaron sobre los Labdácidas, los Tindaridas, los Pelópidas, etc.

[49] La expresión *exánte epoíese ton heautés échonta* ha sido interpretada de muy diversas formas. L. Parmentier, *RPh.* XXVI, 1902, pp. 354–359, propuso leer tóv átnv *ton aten échonta,* basándose en una cita de Aristides, y en que el adjetivo *exántes* (empleado por Hipócrates en la acepción de "libre de enfermedad") tiene aquí un sentido religioso que explica bien el *Etym. M* como *éxo ates.* Y, en general, se ha tendido a suprimir *heautés,* o bien a corregir *échonta* en *metéchonta.* Fr. Pfister,

Der Wahnsinn des Weihepriesters, Cimbria Beitrage... Dortmund, pp. 55–56, distinguía en el texto dos locuras: la del sujeto, patológica, y otra divina, la del sacerdote, entendiendo *ton heautés échonta* como "el que está en contacto con la locura del sacerdote" y viendo en ello un fenómeno de curación por contacto. Pero esta interpretación no es factible, dado el que *échein* (activo) no está atestiguado en esta acepción. Nosotros seguimos a Ivan Linforth, *Telestic Madness in Plato, Univ. of California Publicat. in Class. Philol.* XIII, 1946, pp.163–72, para quien *heautés* es un gen partitivo, que actúa de complemento directo de *échein*. Hackforth no tiene, a nuestro juicio, razón en suprimir con Burnet *heautés* del texto y entender tóv *ton échonta* como "el paciente" *ton ten nóson échonta.*

[50] Platón se ha ocupado en distintas ocasiones de la inspiración poética: en el *Ión* 534 b, 536 c, en el *Menón* 98 b y siguientes y en la *Apología* 22 b–c. En todos estos lugares aparece como la nota distintiva del verdadero poeta el estar fuera de sí, el no estar en dominio de su mente, el estar poseído. En el *Fedro* es mucho más explícito al calificar de locura la inspiración poética. Anotamos también que Paul Friedländer, *CPh.* XXXVI, 1941, pp. 51–52 ha pretendido encontrar en este pasaje dos reminiscencias de Píndaro (*Pean,* 7,13 e *ístmicas* VI, 22).

[51] *Ouranós* tiene aquí el sentido de "universo" como en el *Timeo* 29 b, 92 c.

[52] Epíteto de Némesis (la justicia distributiva), cuya

significación es la "irrehuíble".

[53] En nuestro artículo "Notas al *Fedro*", *Emérita, 1957,* hemos dado las razones que nos han inducido a dar esta interpretación. A lo allí dicho agreguemos algo que puede venir en apoyo de nuestra conjetura. Gerald Frank Else, "The terminology of the Ideas", *Harvard Studies* in *Classical Philology* XLVII, 1936, p. 34, señala que los términos *eídos e idea* normalmente suelen ser introducidos por Platón con expresiones que atenúan su empleo como *tis idea o hén ti eidos.* El autor interpreta esto como "una especie de apología" por emplear dichas palabras en un contexto no familiar al lector. Pero esta costumbre desaparece a partí. del *Fedro,* lo que quiere decir que el filósofo considera al lector ya al tanto de su terminología; de ahí que no sea expuesto conjeturar *kata tb eidos legómenon.* Subrayemos, no obstante, que dicho autor corrige el texto de manera diferente a nosotros: *ka eidos <tó>* .

[54] En *asémantoi* (literalmente "sin señalar") se ha de ver una alusión al *soma sema* ("el cuerpo es un sepulcro") órfico.

[55] Una vez más, como en el caso de ijispoc, *(hímeros)* mencionado en el prólogo, Platón se recrea en las etimologías.

[56] Fórmula homérica, cf. *Od.* XVII, 567.

[57] Es decir, una excusa. El proverbio lo explican Gregorio de Chipre *(Paroemiographi Graeci* II, pp. 66, ed. Leutsch), Hesiquio y Hermias, cf. la nota de Thompson a este lugar. Del *ánkon* del Nilo habla Heródoto II, 99.

[58] Fórmula homérica, cf. *Iliada* II, 361 y III, 65.

[59] Aquí, probablemente, hay una alusión a un hecho real. Diógenes Laercio VI, 7 cuenta que Antístenes se levantó un día en la Asamblea para proponer que se nombrara por votación "caballos" a los asnos. Y ante el natural alboroto se defendió alegando que también se podía ver a muchos que habían sido nombrados por votación estrategos sin que supieran nada

[60] Alusión al proverbio *bvou ónou skiá y peri ónou skiás* (cf. *Paroemiographi Graeci* II, 193 y 565, ed. Leutsch), que citan entre otros Aristófanes, *Avisp.*, v. 191, Hesiquio y a Suda.

[61] Stallbaum anota lo siguiente: *Lepidum est autem quod Laconum utitur testimonio; qua re nihil aliud videtur indicare, nisi hoc, vel sensum communem atque naturalem ad dicendi artem requirere soleré veri scientiam et cognitionem.* Y cita a Plutarco, *Apophth.* Lac. 233 b, que depende probablemente de este pasaje del *Fedro*.

[62] Nótese: 1) el ritmo (pean); 2) la prosopopeya de los discursos, y 3) el uso de términos poéticos *kallípais, thrémmata*. El pasaje es una parodia del estilo gorgiánico.

[63] Probablemente Zenón. Gorgias, como hace notar con razón Ast, es comparado con Néstor, *propter suavitatem orationis aetatisque longinquitatem.*

[64] La traducción literal es: "no tengo parte de ningún arte del hablar".

[65] Este epigrama (que Thompson compara con los

versus cancrini medievales como *Otto tenet mappam madi-dam mappam tenet Otto)*, aparte del *Fedro*, se encuentra en la *Vida* de Homero del Pseudo–Heródoto 11, *Antología Palatina* VII, 153, Favorino, *38*, Diógenes Laercio, *1*, 89. El v. segundo lo mencionan el autor del tratado *Sobre lo sublime* 36, 2, Sexto Empírico, *Hypot. II, 37, Adv math. VIII, 184* y Libanio, *Or.* 17, 34. (Cf. Alfred Kórte, *Festschrift Kretschmer* 110–15 y Leo Weber, *Hermes* LII, 1917, pp. 536–45)

[66] Reminiscencia homérica tal vez, cf. *Od.* V, 192.

[67] Robin sigue a Heindorf al tener la expresión *mouseia lógon* como el título de una obra de Polo. Hackforth es también de esta opinión. Nosotros estimamos con Thompson que *mouseia* rige tanto a *lógon* como al *onomáton* de más abajo y equivale a "exquisitez, rebuscamiento". De allí la traducción un tanto libre que ofrecemos.

[68] Nótese: 1) la *antonomasia –toü Chalkedoníou–;* 2) la, *períphrasis* frecuente en Homero con, *sthénos* 3) la metáfora *helkoménon;* 4) el compuesto *oiktrogóon* altamente poético, y 5) el ritmo del pasaje. De nuevo Platón se burla de la prosa artística de su época.

[69] Rey de Argos; el epíteto procede de Tirteo (fr. 8, 7 Bergk). Ast ha pretendido encontrar, encubierta bajo este nombre, una alusión a Antifonte de Ramnunte. Pero, según ha puesto de relieve Thompson, no es probable que así sea por haber considerado los antiguos su estilo deficiente en suavidad. Dionisio de Halicarnaso *(De comp. verb.,* p. 52, ed. Reiske) le tiene por un

representante de la at>axnpá, *austera léxis* y la mención que de él se hace en el *Menéxeno* no es laudatoria.

[70] Sobre el sentido de estas expresiones ya se ha Hablado; Sócrates alude en burla a las calumnias que se le hacen de ser un charlatán (cf. las *Nubes* de Aristófanes), y de especular sobre las cosas celestes, *[tá metéora phrontistés]*, *Apología* 18 b), empleando el mismo lenguaje que el vulgo, para quien el filosofar no es más que pura charlatanería y andarse por las nubes.

[71] El griego dice "pisado".

[72] Velada alusión a Córax, de quien Tisias era discípulo, como señala Hermias. La ironía del pasaje se pone de relieve al no mencionar por su nombre al orador *(Corax* es cuervo), y emplear el estilo ritual de las súplicas a los dioses (cf. *Cratilo* 440 e). Thompson saca a relucir el proverbio *kakoü kórakos kakbn oón* que pudiera acentuar la segunda intención del pasaje.

[73] El mito, como el de las cigarras, parece ser una invención de Platón. Aceptamos más abajo la corrección de J. P. Postgate. *ton Thamoün*, en cuyo apoyo viene más adelante un lugar (274 c) a demostrar que Platón identifica a Thamus con Ammón. Menos convincente es la corrección de Scheid–weiler (cf. *Kermes*, 1955, pp. 120–1), basada en un supuesto juego etimológico de Platón *Thamoüs = theós Ámmon)*; cf. L. Gil, *Emérita* XXVI, 1958, 215–218.

[74] En las fiestas de Adonis se cultivaban en vasijas plantas que morían rápidamente, para simbolizar la

muerte prematura del amante de Afrodita. La expresión *Adónidos képoi* ha pasado a adquirir un valor proverbial (cf. Hesiquio, Diogeniano 1,14 y Gregorio de Chipre I, 7).

[75] Dicho proverbial *epi ton maten ponoúnton* que transmiten en la forma *kath'hydatos grápheis* Diogeniano II, 59 y la *Suda*.

[76] Literalmente "la vejez del olvido". La construcción, un tanto extraña, nos hace pensar que haya aquí una reminiscencia poética.

[77] Mras *(WS,* 1914, p. 516, n. 2) estima que tal vez haya aquí una alusión a la *República* como en 276 d al *Banquete*.

[78] El término filósofo está empleado aquí en su sentido etimológico.

[79] Según nos informa el Escoliasta a este lugar el dicho es un proverbio pitagórico.

Índice

Esta edición se terminó de imprimir en los talleres gráficos G&G Udaondo 2642 Lanús Oeste durante el mes de septiembre de 2010.